KB082258

말장난Ⅲ

作亂者 김기쁨

지금 여기에서 저절로 글이 쓰이고
지금 거기에서 저절로 글이 읽힌다.

하나의 음양(陰陽)이 밀고 당겨
새로운 하나의 중심에 앎을 일으키고 있다.

중심의 사람과 전체 세상 사이를
음양(陰陽)의 말을 타고 놀고 있다.

유위(有爲)로 보이는 무위(無爲)의 놀이가
사람의 자리에서 펼쳐진다.

음양(陰陽)의 도(道)가 펼치는
꿈속 말(道)장난이다.

사람의 자리에
평등한 모름이
평등한 앎을 꿈꾸고 있다.

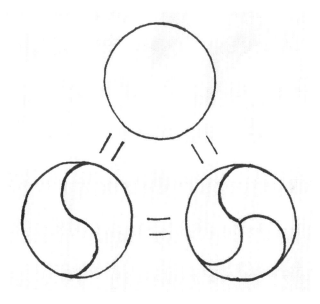

죽음 ⇔ **사람** ⇔ 삶

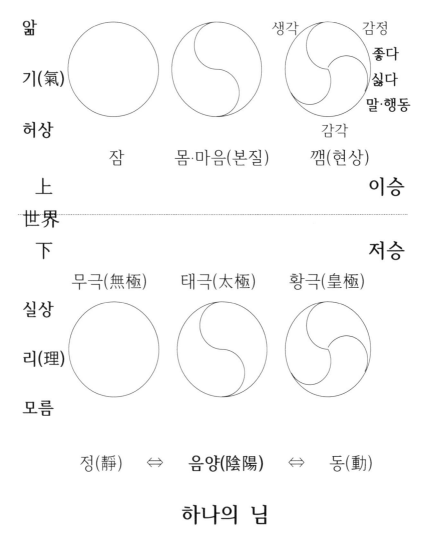

앎

기(氣)

허상

잠　　　몸·마음(본질)　　　깸(현상)

생각　　　감정

좋다

싫다

말·행동

감각

上　　　　　　　　　　　　　　　　이승

世界

下　　　　　　　　　　　　　　　　저승

무극(無極)　　　태극(太極)　　　황극(皇極)

실상

리(理)

모름

정(靜) ⇔ **음양(陰陽)** ⇔ 동(動)

하나의 님

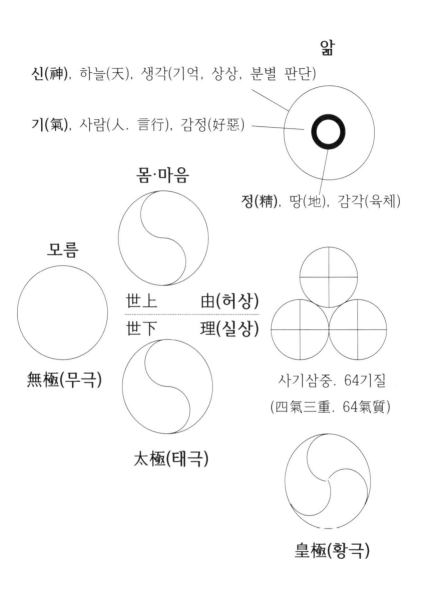

신(神), 하늘(天), 생각(기억, 상상, 분별 판단)

앎

기(氣), 사람(人. 言行), 감정(好惡)

정(精), 땅(地), 감각(육체)

몸·마음

모름

世上　　由(허상)
世下　　理(실상)

無極(무극)

太極(태극)

사기삼중. 64기질
(四氣三重. 64氣質)

皇極(황극)

靜(고요함, 하나)⇔陰陽(음양, 둘)⇔動(움직임, 셋)

- 5 -

들어가는 글

세계의 표준모형*

이 글은 한 사람의 중심에서 일어나는 앎의 표현이다.

사람이라는 자리에서 볼 때,
세계(世界)는 세상(世上)과 세하(世下)로 이루어져 있다.

사람이 아는, '현상(現象)과 본질(本質)'이라는 세상(世上)과
'현상과 본질'이라는 허상(虛像)을 비추는, 사람이 모르는, 실상
(實相) 세하(世下)가 하나의 음양(陰陽)으로 있다.**

실상 세하는 하나지만
허상 세상은 사람 수만큼 만들어진다.

---

* 입자물리학에서 소립자의 구성과 소립자 사이 작용을 설명하는 이론을
표준모형이라고 하는데, 여기서는 세계(世界) 전체로 확장해서 표준모형
이라는 개념을 빌려 사용했다.

** 말장난Ⅰ, Ⅱ 에서는 '허상(虛像)과 실상(實相)' '현상(現象)과 본질(本質)'
이라는 상대어를 혼용해서 사용했지만, 말장난Ⅲ 에서는 명확히 구분해
서 사용한다.

하나이지만, 무한한 세하가

수없이 많고 다양하지만, 유한한 세상을 비추고 있다.

앎은 중심과 전체 사이에서 일어난다.

사람 또한, 한 단위 앎의 중심이다.

실상인 음양의 동정(動靜)으로 허상인 사람의 앎이 나고 든다.

음양의 태극(太極)이

고요하면 무극(無極)이요

움직이면 황극(皇極)이다.

'무극 태극 황극'의 동정(動靜)이 하나로 있다.

동(動)의 극(極)이 정(靜)이요 정(靜)의 극(極)이 동(動)이다.

음양의 동정(動靜)은 뗄 수 없는 영생(永生)이다.

지금, 여기와 거기에서 일어나는

앎과 앎 속 만물만상(萬物萬象)은

모르는 실상이

둘의 음양 운동으로

수없이 많고 다양한 셋을 통해

사람이라는 셋의 단위에
비추는 허상이다.

사람의 본질(本質)인 '몸 마음'으로 현상(現象)을 본다.
감각의 오감(五感)으로 사람 밖의 세상을 인지하고
육감(六感)과 감정과 생각으로 사람 안의 세상을 인지한다.
안팎의 좋고 싫은 '감각 감정 생각'을 따라가 말과 움직임이
저절로 일어난다.

좋고 싫은 '감각 감정 생각'과 언행(言行)은 사람이라는 단위
기운 안에서 일어나지만, 사람 중심의 기질(氣質)과 전체 세상
이 하나로 연기(緣起)한 결과물이다.

사람이 세상이요 세상이 사람이다.
사람이 아는 세상의 이유(理由)는 사람이 모르는 세하다.

사람이라는 허상 세상
사람을 비추는 실상 세하
본질의 '몸 마음' 사이에 나고 드는
좋고 싫은 '감각 감정 생각'과 언행(言行)이라는 현상

본질과 현상으로 이루어진 '나'라는 앎의 세상
뗄 수 없는 하나로 맞물려 돌아가고 있다.

하나의, 실상이
둘의, 음양의 밀고 당기는 힘으로
셋의, 중심에 '현상과 본질'을 그려낸다.
하나와 둘과 셋이 한 통이다.

세상 속 분리된 '나'는 없다.
독립되어 보이고 중심이 있는, 좋고 싫은 '감각 감정 생각'과
언행을 '나'라고 착각하고 있을 뿐이다.
사람이라는 앎의 '나'가 바로 앎의 세상이다.

사람이라는 자리
하나의 '몸 마음' 사이에
봄이 피어오른다.

봄은 음양의 리(理)로 음양의 기(氣)가 작용하여 일어난다.
보이는 모든 대상은 몸이요 몸을 보고 있는 의식이 마음이다.

몸은 '알 수 없는' 바탕과 그 바탕 위에서 나고 살고 지는 '알
수 있는' 만물만상(萬物萬象)으로 이루어져 있다.
바탕과 만물만상이 하나다.

음양이 밀고 당기며 돌아 앎을 일으킬 때
앎 전체를 신(神)이라 하고 앎의 중심을 정(精)이라 한다.
정과 신 사이에서 작용하는 힘을 기(氣)라고 한다.

세상에서 '알 수 있는' 대상은
땅(精)과 사람(氣)과 하늘(神)뿐이다.
정기신(精氣神)은 뗄 수 없는 하나다.

음양 그 자체는 변하지 않는다.
음양이 사람의, 변하지 않아 보이는, '몸 마음'으로 드러난다.

음양이 밀고 당기며 정기신(精氣神) 셋으로 동(動)한다.
음양의 움직임이 사람의, 변해 보이는. 좋고 싫은 '감각 감정
생각'과 언행으로 드러난다.

음양이 하나로 정(靜)한다.

음양의 고요함이 사람의 죽음과 깊은 잠으로 드러난다.

허상과 실상
몸과 마음
중심과 전체
안과 밖
정기신(精氣神)
모두, 음양의 동정(動靜)이요
음양의 말(道)장난이다.

본질과 본질 위 현상인 생장수장(生長收藏)은
실상인 음양의 '통합된 분화' 작용의 비춤이다.
분화와 통합은 함께 일어난다.

본질인 '몸 마음'이 분화하여
세상을 온전히 품고도 남을 만큼 성장하고
몸은 정기신(精氣神) 셋으로 분화하고
마음은 세상과 하나로 통합한다.

모름이 앎을 낳고

앎은 다시 모름으로 돌아간다.

음양의 동정(動靜)으로 앎과 모름이 하나로 있다.

음양의 동(動)과 정(靜)이 하나로 있다.

음양이 통합하여 하나의 중심에 앎을 낳고

하나의 중심이 다시 음양의 둘로 분화하면서

사람의 앎이 성장해 나간다.

사람의 앎이 본래의 모름까지 자란다.

음양의 '몸 마음' 사이에, 사람의 중심과 전체 사이에

사람의 좋고 싫은 '감각 감정 생각'과 언행이

뗄 수 없는 하나로 맞물려 돌아간다.

음양의 분화 초기에는

마음이, 몸 위에 비치는, 중심의 '좋아하고 싫어하는 힘'에 이끌려 '감각 감정 생각'에 손을 대며 실제 '말과 행동'으로 옮기는 수고(手苦)로 개인과 사회가 발전한다.

어린이의 역할이다.

음양의 분화가 무르익고 중심과 전체 사이 힘이 균형을 잡으면

마음이, 몸 위에 비치는, 좋고 싫은 '감각 감정 생각'과 언행을
일어나는 그대로 두고 보며 온 세상을 사랑으로 품는다.
어른의 역할이다.

'사람의 '몸 마음'이 본질(本質)이요
본질의 '몸 마음' 사이, 좋고 싫은 '감각 감정 생각''과 언행이
현상(現象)이요
'본질과 현상'으로 이루어진 앎은 허상이다'라는
앎이 저절로 일어나고,
앎을 일으키는
'모름의 존재에 대한 앎'이 저절로 일어난다.

아는 허상의 이승과
모르는 실상의 저승이
사람의 자리에
하나로 있다는
앎이 저절로 일어난다.

사람의 자리에
사람이 모르는 세하(世下)가

사람이 아는 세상(世上)을 비추고 있다는
앎이 저절로 일어난다.

실상이자 사람의 모름인, 삶의 구조는 모든 사람이 같지만
허상이자 사람의 앎인, 삶의 내용은 모든 사람이 다르다.
앎의 세상은 사람 수만큼 비친다.

이 글을 쓰고 읽고 있는 지금이
허상과 실상이 하나로 공존하는 현실(現實)이다.

우리는
음양의 법으로
사람을 꿈꾸는
부처요 그리스도요 한울님이다.

우리는 삼판양승의 영원한 생명이다.

차례

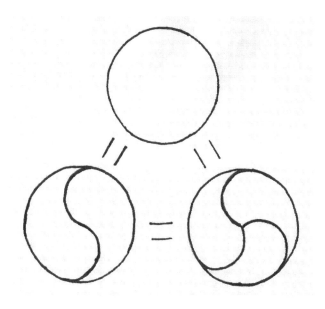

道生一 一生二 二生三 三生萬物

萬物負陰而抱陽 中氣以爲和

- 도덕경 42장. 마황퇴 갑본. 노자

도(道)가 하나를 낳고

하나가 둘을 낳고

둘(하나와 둘)이 셋을 낳고

셋(하나와 둘과 셋)이 만물을 낳는다.

만물은

음(陰)과 양(陽)이

서로를 지고 안아

한 중심으로 돌아가는

조화로운 기운이다.

죽음 ⇔ **사람** ⇔ 삶

앎

기(氣)

허상

　　　　잠　　　몸·마음(본질)　　깸(현상)

생각　　　감정

좋다

싫다

말·행동

감각

上　　　　　　　　　　　　　　　　　이승

世界
....
下　　　　　　　　　　　　　　　　　저승

무극(無極)　　　태극(太極)　　　황극(皇極)

실상

리(理)

모름

정(靜) ⇔ **음양(陰陽)** ⇔ 동(動)

하나의 님

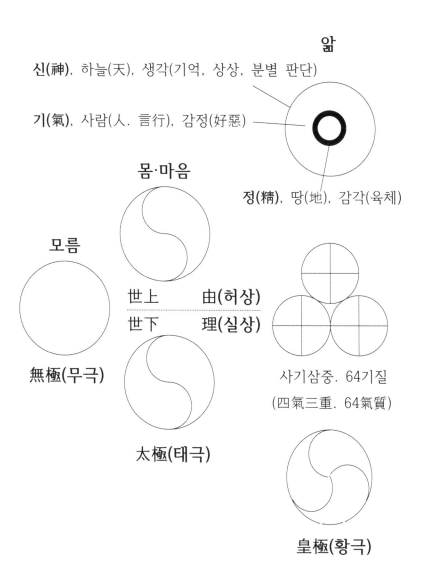

앎

신(神), 하늘(天), 생각(기억, 상상, 분별 판단)

기(氣), 사람(人. 言行), 감정(好惡)

정(精), 땅(地), 감각(육체)

몸·마음

모름

世上　　由(허상)
世下　　理(실상)

無極(무극)

사기삼중. 64기질
(四氣三重. 64氣質)

太極(태극)

皇極(황극)

靜(고요함, 하나)⇔陰陽(음양, 둘)⇔動(움직임, 셋)

자화상

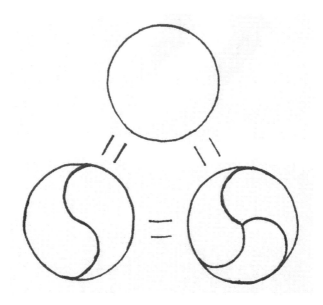

무극(無極)과 태극(太極)과 황극(皇極)은 세상이라는 '현상(現象)과 본질(本質)'의 원리(原理)를 나타내고 있다. 세상(世上)에 살고 있는 사람에게는 세하(世下)이자 실상을 표현한 시공간의 사차원 입체 그림이다.

'무극(無極) 태극(太極) 황극(皇極)'이 공존하는 모습을 그릴 수 없어 분리해서 그렸지만, 셋은 뗄 수 없는 하나다.

대한민국의 국기인 태극기는 '무극 태극 황극'을 한 장에 담아
놓은 그림이다.

박영효가 1882년 9월에 그린 최초의 태극기

흰 전체 바탕이 무극이요

하나로 휘감아 도는 빨강 파랑 중심이 태극이요

세 효(爻)로 이루어진 건곤감리(乾坤坎離, 하늘 땅 물 불) 검정
네 괘(卦)가 황극이다.

나는
셋의 앎이
둘의 음양(陰陽) 운동으로
하나의 모름과
공존하고 있다.

나는
눈으로 보면, 앎의 사람 중심이요
마음으로 보면, 앎의 세상 전체요
리(理)로 보면, 음양(陰陽)으로 앎을 품은 모름이다.

모름이 앎의 세상에서 눈을 뜬다.
'나'를 찾아 헤맨다.

중심에서 전체로 '나'를 찾으러 가고
전체에서 중심으로 '나'는 찾으러 간다.

음양의 '통합된 분화'로
중심(精)과 전체(神) 사이 기(氣)의 균형이 잡히면
정신(精神) 차리고 '나'를 만나게 된다.

마음(陽)으로 몸(陰)을 본다.

'몸 마음' 사이, 생멸하는 좋고 싫은 '감각 감정 생각'과 언행 (言行)을 만나 본다.

'몸 마음' 사이, 대상을 향한 밀고 당기는 욕심을 만나 본다.

색(色)을 향한 욕심과

공(空)을 향한 욕심이

사람이라는 앎의 자리에 공존한다.

색(色)도 공(空)도

모름이, 음양 운동으로, 일으킨

'현상과 본질'이라는 앎일 뿐이다.

사람에게는 앎이 모름에서 저절로 나고 들지만,

모름 속에는 모든 앎이 제자리에 그대로 있다.

모름은 사람이 이해할 수 없는 무진장(無盡藏)이다.

우리는 '현상과 본질'이라는 허상의 앎을 품은

실상의 모름이다.

우리는 허상과 실상이 하나로 공존하는 사람이다.

우리는 창조주이면서 피조물이다.

우리는 사람이면서
아는 만물만상(萬物萬象)이면서
만물만상의 바탕이면서
보고 있는 의식이면서
모르는 창조주다.

우리는 말이 안 되지만,
말이 된다.

변하지 않는 도(道)가 내고 들이는
변하는 사람의 성장은
말(道)을 앓는 길(道)이다.

우리는
알든 모르든
진리(道)다.

이름 붙여 봄

자리에 앉아 눈을 감아 밖의 시각을 차단하고 지금을 보면,
소리가 들리고 숨이 들락거리고 촉감과 내부감각이 느껴진다.

시각적으로 텅 비어 보이는 바탕에서 다른 감각이 저절로 일어
나고 있음을 볼 수 있다.

텅 빈 바탕을 몸이라고 이름 붙여 보고
몸을 보고 있는 이 무엇을 마음이라고 이름 붙여 본다.

몸 위에서 기억의 한 생각이 저절로 떠오르는 것을 마음으로
본다.

기억 속 시각과 청각이 저절로 일어나 전체 공간을 채우고
공간의 중심에서 좋고 싫은 감정이 반응하고
이 상황을 중계하고 판단하는 말이 저절로 일어나고
다시 생각과 감정이 이어지고 말이 이어지며
저절로 돌아가고 있다.

이 모두가 몸 위에서 펼쳐지고 있음을 마음으로 보고 있다.

눈을 감고 보고 있는 이 바탕의 몸은
시각적으로는 텅 비어 공간 전체를 감싸고 있고 변하지 않아
보인다. 이 몸을 보고 있는 마음 또한 변하지 않아 보인다.

눈을 감고 있는 이 순간
'몸 마음' 사이에서, 밖의 시각을 제외한, 좋고 싫은 '감각 감
정 생각'과 생각 속 말이 저절로 나고 지고 있음을 알 수 있
다.

눈을 감은 채로 팔을 움직여 본다.
움직이는 팔이 시각적으로는 보이지 않지만 피부 감각과 근육
의 고유감각으로 팔의 움직임과 위치를 알 수 있다.
이 팔의 움직임 또한 몸 위에서 일어나고 있음을 마음으로 보
고 있다.

이제 눈을 떠 본다.
바탕의 몸 위에 현재의 시각이 더해져 좋고 싫은 '감각 감정
생각'과 생각 속 말이 저절로 펼쳐지고 있음을 마음으로 보고

있다.

일어서서 움직여 본다.
바탕의 몸 위에 팔과 다리의 움직임이 더해져 좋고 싫은 '감각 감정 생각'과 생각 속 말이 저절로 펼쳐지고 있음을 마음으로 보고 있다.

움직이면서 지금의 상황을 말해 본다.
바탕의 몸 위에서 실제 말이 더해져 좋고 싫은 '감각 감정 생각'과 행동과 생각 속 말이 저절로 펼쳐지고 있음을 마음으로 보고 있다.

바탕의 몸 위에 '나'라고 믿고 있는 육체의 움직임을 포함한 세상 만물만상의 움직임이 비치고 있음을 마음으로 보고 있다.

'몸 마음' 안에 앎의 세상 전부가 들어 있음을 확인한다.

변하지 않아 보이는 '몸 마음' 사이에서
변해 보이는 좋고 싫은 '감각 감정 생각'과 언행(言行)이
저절로 비치다 사라지고 있다.

'몸 마음'을 본질(本質)이라고 이름 붙여 보고
좋고 싫은 '감각 감정 생각'과 언행을 현상(現象)이라고 이름
붙여 본다.

'본질과 현상'이 사람의 앎 전부임을 알 수 있다.

깊은 잠 동안은 앎이 일어나지 않는다.
잠에서 깨면 현재의 감각과 잠들기 전 감각인 기억의 차이로
잠이 들었었다는 앎이 저절로 일어남을 알 수 있다.

하지만, 사람의 앎은
인체 내부의 수없이 많고 다양한 세포와 세포 사이 신호전달
물질과 인체 외부 '빛과 에너지'의 협업으로 일어난다.

그러니까, 사람의 앎은
사람이 '알 수 있는' 소립자에서 천체까지를 포함한 사람이 '알
수 없는' 우주가 연기(緣起)한 결과물에 불과하며, 사람에게는
우주 속 아주 작은 일부만이 '알 수 있는' 앎이라는 형태로 전
해진다.

결국, 사람은 수많은 정보의 일시적 뭉침과 흩어짐에 불과한 앎의 단위일 뿐이다. 사람이라는 독립된 단위는 실재하지 않으며, 가상의 사람에게 실재는 모름일 수밖에 없다.

사람이 아는 세상(世上)을 허상(虛像)이라고 이름 붙여 보고
사람의 앎을 일으키는, 사람이 모르는 세하(世下)를 실상(實相)이라고 이름 붙여 본다.

실상의 일을 리(理)라고 이름 붙여 보고
리(理)가 비추는, 허상의 일을 기(氣)라고 이름 붙여 본다.

허상의 '몸 마음' 사이에서
이름 붙여 봄이
저절로 일어나고 있다.

그 이유(理由)를 사람은 모른다.

말과 글은 사람이 사용하는 유위(有爲)로 보이지만
아는 말과 글은 모름에서 저절로 전해오는 소식(消息)이다.

모름의 유위(有爲)로 앎의 무위(無爲)가 펼쳐진다.
앎의 삶은 모두 무위자연(無爲自然)이다.

사람의 자리에
모르는 유위(有爲)와 아는 무위(無爲)가
하나로 있다.

※※※

이 책에서는
형이상학(形而上學)의 모르는 리(理)에 대한 이론적 용어와
형이하학(形而下學)의 아는 기(氣)를 나타내는 삶 속 용어가
뒤섞여 사용되고 있다.

구분해서 사용하려 애써 보지만
자연스럽지 못한 문장이 많다.
저자의 한계다.

처음엔 혼란스러울 수 있지만
같은 말을 계속 듣다 보면 저절로 자리를 잡는다.

앎과 모름을 가르는 기준은
사람의 '몸 마음'이다.

반복 학습

이 책은
한통속의 하나와 둘과 셋이
경계 없이 '하나의 님'으로 있는
사람의 '지금 여기'를
반복해서 설명하는 글이다.

사람의 '지금 여기'는
앎과 모름이 공존하고 있다.

반복해서 듣다 보면
낯선 것들에 익숙해진다.

사람 중심에서 세상 전체로
'알 수 있는' 것에서 '알 수 없는' 것으로
아는 '대상'에서 아는 '의식'으로
'앎'에서 '모름'으로
습관(習慣)이 서서히 바뀌어 간다.

음양의 법칙으로
시공간 속 성장이
저절로 펼쳐진다.

반복 학습을 통해
시공간 속 중심의 사람과 전체 세상을 하나로 아우르게 되고
'알 수 있는' 것과 '알 수 없는' 것을 하나로 아우르게 되고
아는 대상과 아는 의식을 하나로 아우르게 되고
앎과 모름을 하나로 아우르게 된다.

이 글은
모르는 실상에서 저절로 전해오는
허상의 앎이다.

사람의 앎을 온전히 앓아 가다 보면
사람의 모름이 선명해지고
사람의 자리에 아는 허상과 모르는 실상이
뗄 수 없는 하나로 있음을 저절로 알게 된다.

앎을 통해 모름을 알고 삶을 익히다 꼬꾸라지고

앎을 앓아 모름을 아울러 삶을 즐기다 다시 깨진다.

앎을 잃고 모름을 얻으며 음양의 법을 반복해서 배워간다.
앎 전부를 내놓지 않으면 모름도 온전히 드러나지 않는다.

'앎의 삶'을 모두 잃을 때까지
같은 '앎의 삶'이 반복됨을 알게 되고
삶을 온전히 앓음을 통해 온전한 죽음을 알아가게 되고
죽음을 알지 못하면 영생을 알지 못함을 알게 되고
'아는 삶'을 앓아 '모르는 죽음'을 알게 되고
산만큼 죽어가며 삶과 죽음을 아우르게 되고
영생은 삶과 죽음의 공존임을 알게 된다.
그리고, 이 모든 앎이 꿈속임을 알게 된다.

시공간 속 사물(事物)과
아무 일 없음을
하나로 아우르게 된다.

하나의 '몸 마음'으로
대대손손(代代孫孫) 이어지며

앎과 모름을 아우르는
반복 학습 발전 과정이다.

우선, 전체 그림을 일별(一瞥)하고
그다음, 세부 모습을 자세히 관찰한다.
전체와 부분을 오가며 반복 학습한다.

보고 또 보고
익히고 또 익히고
실천하고 또 실천하고
꼬꾸라지고 또 꼬꾸라지고
다시, 보고 익히고 실천하고 꼬꾸라지며 반복 학습한다.

머리에서 가슴으로, 머나먼 여정이다.
가슴앓이를 통해 가슴이 울려진 만큼 앎이 선명해져 간다.

같은 말을 반복하지만
같은 말을 반복할수록
같은 말이 아님을 알게 된다.

개론(槪論)

우리는 사람이라는 단위를 '나'라고 믿고 살기에
모든 이야기의 출발점은 사람일 수밖에 없다.

사람이라는 앎의 단위는 수많은 하위 단위와 전체 상위 단위가
연기(緣起)하는 국소적이고 한시적인 기(氣)의 뭉침이다.

사람과 사람의 앎은 리(理)에서 말미암는다.
사람에게 이유(理由)는 모름이다.

리(理)와 기(氣)는 뗄 수 없는 하나의 음양(陰陽)이다.
세(世)의 하(下)가 리(理)요 세(世)의 상(上)이 기(氣)다.

사람의 앎은,
수없이 많고 다양한 하위 단위의 '몸 마음'과
전체 '몸 마음'이 연기(緣起)하는,
사람이라는 단위의 '몸 마음' 사이에서 일어난다.

‘몸 마음’이 본질(本質)이고
‘몸 마음’ 사이 중심이 있는
좋고 싫은 ‘감각 감정 생각’과 언행이 현상(現象)이다.

사람의 자리에 비치는 ‘본질과 현상’이라는 앎이
사람의 세상이자 허상(虛像)이다.
사람의 앎을 비추는 실상(實相)은 모름이다.

우리는 사람의 앎을 즐기는 사람의 모름이다.

사람의 모름이
사람의 ‘몸 마음’으로
사람 중심에서 세상 전체를 믿어 맡겨 보고
세상 전체에서 사람 중심을 믿어 놔둬 보며
사람의 앎이자 꿈인 삶을 즐긴다.

삶이 꿈으로 보이지 않는 이유는
‘몸 마음’이 충분히 떨어지지 않은, 어린 시절의
설명할 수 없는 가슴 속 좋고 싫은 한(恨)이
온전히 풀어지지 않아서이다.

'몸 마음'의 분화가 무르익지 않은 때는

모든 게 어리하고 섞여 보이기에, 어리석을 수밖에 없다.

마음이 정(精)의 감각과 신(神)의 생각 사이에서

정신(精神)을 사리지 못해

기(氣)의 감정이

좋아하고 싫어하는 대로 말하지 못하고 행동하지 못하고

잘못 말하고 행동하여

한(恨)으로 맺히게 된다.

'몸 마음'이 충분히 분화되면

모든 게 선명해져

정신이 차려지고

정의 현실 감각으로 풀지 못한

기의 감정이 신의 생각 속에서

좋아하고 싫어하는 대로 말하고 행동하고

잘못한 언행을 용서하고 용서받아

한(恨)을 풀게 되고

'몸 마음'과 좋고 싶은 '감각 감정 생각'과 언행이

허상의 꿈임을 알게 된다.

사람의 본질인 '몸 마음'이 분화하여

세상의 '몸 마음'과 통합하고

현상의 몸은 정기신(精氣神) 셋으로 분화하고

현상을 보고 아는 마음은 하나로 통합한다.

이 책은,

음양(陰陽)의 동정(動靜)이 비추는,

'몸 마음'의 '통합된 분화'라는

사람의 성장 과정을 반복해서 설명하는 글이다.

사람은 모두 혼자만의 세상에 살고 있다.

이 책은,

이 책 저자 혼자 살고 있는, 저자만 아는, 세상(世上)과

세상을 비추는, 저자도 모르는, 세하(世下)를

설명하는 글이다.

말(道)이 안 되는 말장난을 통해

도(道)를 알아가는 길(道)이다.

시공간 속 언어가 가진 한계다.

마지막엔

시공간의 道마저 넘어서고

道 아님이 없음을 알게 된다.

사람은 혼자만 알 수 있는 세상을

타인에게 전하고 동의를 구하려 한다.

모두 다른 세상에 살고 있기에

전할 수도 없고 얻을 수도 없음을 알면서도

저절로 그렇게 된다.

다른 세상이지만 같은 실상의 비춤이며

사람에겐 자유의지가 없기 때문이다.

본래, 분리된 사람은 없다.

그 사람이 곧 그 세상이다.

사람 수만큼 다른 세상이 펼쳐진다.

세상은 실상 세하가 비추는 허상이다.

세상과 세하가 한 세계(世界)다.

모두, 말(道)장난이다.

우리는 말장난하는
창조주다.

사람은
창조주가
허상의 앎 속에서
타고 다니는 말이다.

창조주와 사람은
뗄 수 없는 음양이다.
모름을 창조주라 말하고
앎을 사람이라 말할 뿐이다.

말이 가리키는 앎을 보다가
말과 앎을 일으키는 모름을 알게 되고
둘을 하나로 아우르고 저절로 쉼이 일어난다.

사람의 자리에
모르는 실상이 아는 허상을
비춰 울려 보며 즐겨 보고 있다.

철학(哲學)과 과학(科學)

사람이 살고 있는 '본질과 현상'의 세상은
봄을 통해 앎이 일어난다.
사람이라는 단위의 중심에서
마음으로 몸을 봄으로써 앎이 일어난다.

시공간 속 사람은
점(占)한 자리가 모두 다르기에
앎의 내용도 다를 수밖에 없다.

사람은 누구나 철학과 과학의 사유를 동시에 하고 있다.
철학은 다른 사람과 공유할 수 있는 부분도 있지만, 개인의 주
관적인 앎이고
과학은 개인차도 있지만, 다른 사람과 공유할 수 있는 전체의
객관적인 앎이다.

철학은 관찰을 병행하지만, 주관적 내면의 직관과 영감을 통해
세상의 이유를 통찰하는 형이상학(形而上學)에 치우쳐 있고

과학은 통찰을 병행하지만, 객관적 외부의 관찰과 측정을 통해 세상을 나누어 보는 형이하학(形而下學)에 치우쳐 있다.

최근에는 철학과 과학의 경계가 흐려져 상호 보완하고 통합하는 경향이다. 철학과 과학에서 같은 소리가 들려오고 있다.

철학과 과학 모두
'사람이 허상이기에 사람은 세상의 실상을 알 수 없다'라는
사실만 알 수 있다고 말한다.

철학과 과학을 통해 바라보는 안팎의 세상은 사람이라는 단위의 '몸 마음' 사이에서 일어나는 앎에 불과하다.

주관적 직관을 통해 세상의 이치를 통찰하든 객관적 관찰을 통해 천체와 입자의 모습을 발견하든, 사람의 앎을 사람이 '알 수 없는' 세상의 영역과 사람이 '알 수 있는' 세상의 영역이 하나로 연기(緣起)하고 있다.

철학과 과학 모두
사람이 모르는 리(理)를 론(論)한 이론(理論)이요
사람의 앎일 뿐이다.

사람은 세상의 본래(本來) 모습을 알 수 없다.

본래에서 세상과 사람이 나왔기 때문이다.

하지만, 본래에서 나온 사람은 본래와 같은 모습을 하고 있기에 사람의 앎을 통해 본래 모습을 미루어 알 수는 있다.

이 또한 이론(理論)일 뿐이다.

이론(理論)은 이론(異論)이 난무(亂舞)한다.

사람이 모르는 실상을 말로써 대상화하고 펼쳐보지만

이론(理論)은 객관적으로 증명할 수 없으며

스스로 확인해 보는 수밖에 없는 주관적 믿음의 영역이다.

사람의 앎을 온전히 앓아 볼수록 본래를 미루어 볼 수 있게 되지만, 이 또한 본래에서 전해오는 사람의 믿음이다.

철학도 믿음이요 과학도 믿음이다.

믿음은 철학과 과학이 공존하는 영역이다.

믿음은 논쟁의 대상이 아니다.

직접 확인해 볼 수밖에 없다.

철학과 과학의 앎 모두 모름에서 저절로 전해온다.

사람의 자리에서 철학과 과학을 아울러 본다.
아울러 봄 또한 저절로 일어난다.

사람의 마음으로
사람 중심과 세상 전체
두 눈을 통해
몸을 앓아 보고 있다.

사람의 '몸 마음'이 세상의 '몸 마음'과 같다.
사람의 '몸 마음' 사이에서 만물이 나고 들고 있다.
세상은 실상 세하가 사람이라는 가상의 자리에 비추는 허상이
요 사람이 곧 세상이다.
실상은 아무 일도 일어남이 없다.
모두 옳다.
하지만,
모두 꿈속 앎일 뿐이다.

사람의 앎을 믿어 손대지 않고
사람의 앎을 온전히 앓아 봄을 통해
사람의 모름이 있음을 확신할 수 있을 뿐이다.

가상의 사람이라는 자리에서
앎과 모름을 모두 믿어
앎과 모름을 하나로 아우른다.

무극(無極)과 태극(太極)과 황극(皇極)이
음양(陰陽)과 정기신(精氣神)이
'몸 마음'과 좋고 싫은 '감각 감정 생각'과 언행(言行)이
꼬리에 꼬리를 물고 돌아가는 하나이듯
이론을 설명하는 말과 글 또한
꼬리에 꼬리를 물고 돌아갈 수밖에 없다.

지금 여기에
하나와 둘과 셋이 맞물려
한 통으로 돌아가고 있다.

통 세 판

夫所以謂之觀物者 非以目觀之也

非觀之以目而 觀之以心也

非觀之以心而 觀之以理也

- 皇極經世書. 邵康節

무릇, 사물을 본다는 것은 눈으로 본다는 말이 아니다.

눈으로 보는 것이 아니라 마음으로 보는 것이다.

마음으로 보는 것이 아니라 리(理)로 보는 것이다.

- 황극경세서. 소강절

눈은 눈을 보지 못한다.

보이는 사물을 통해 사물을 보는 눈이 있음을 알 뿐이다.

마음은 마음을 보지 못한다.

'알 수 없는' 몸을 통해 몸을 보는 '알 수 없는' 마음이 있음을
알 뿐이다.

실상(實相)의 리(理)는 실상의 리를 알지 못한다.
허상(虛像)인 기(氣)의 앎을 통해, 앎을 일으키는, 모르는 실상
의 리가 있음을 알 뿐이다.

눈과 마음과 리(理)로
세 판이 한 통임을 앓아 본다.

사람이 모르는 음양(陰陽)의 리(理)로
음양 기(氣)의 동정(動靜)이 펼치는
사람의 앎이
통 세 판으로 있다.

음양의 동정(動靜)은
시공간을 그리고 지우는 그 무엇이기에
시공간 속 앎인 언어 이전이며
시공간과 시공간 속 앎 전부가 하나로 들어있는
무진장(無盡藏)이다.

사람이 모르는 리(理)를
사람의 앎인 언어로 표현한다는 게 말이 안 된다.

그래서 리(理)는 사람에게 론(論)의 대상이다.

이 글은 음양(陰陽)의 리(理)를 론(論)한
말 그대로 이론(理論)일 뿐이다.

저절로 믿어지고
저절로 믿기지 않지만,
이론대로 실천되고
이론대로 확인하게 된다.
이론과 실천과 확인이
상호 보완 수정하며 발전한다.

사람이 모르는 리(理)에서
음양의 정(靜)을 무극(無極)
음양을 태극(太極)
음양의 동(動)을 황극(皇極)이라 표현하지만
셋은 앎의 시공간 속 순서와 자리가 아닌
앎 이전의 하나다.

음양이 동(動)한 셋째 판에서

전체를 신(神)이라 하고

신(神)의 밀고 당기는 운동을 기(氣)라 하고

운동의 중심에 국한된 기(氣)의 뭉침을 정(精)이라 하지만,

정기신(精氣神)은 음양의 다른 이름이다.

음양의 밀고 담김만 있을 뿐이다.

사람이라는 자리에

음양은 '몸 마음'이라는 앎의 본질(本質)로 드러나고

음양의 정(靜)은 앎이 사라진 '깊은 잠과 죽음'이라는 모름이
다.

음양의 동(動)으로 앎이 일어나면

중심의 밀고 당김이 '좋고 싫음'이라는 현상(現象)으로

정(精)은 감각, 기(氣)는 감정, 신(神)은 생각이라는 현상으로

좋고 싫은 '감각 감정 생각'이 얽히고설켜서 '사람이라는 단위
의 말과 행동'이라는 현상으로 드러나며

본질인 '몸 마음' 사이에서 현상이 하나로 맞물려 돌아간다.

사람이 모르는 실상(實相)은

음양의 밀고 당김이

신기정(神氣精)의, 순서 아닌, 순으로 셋을 펼쳤다가
다시 하나로 거두며 맞물려 돌아간다.

사람이 아는 허상(虛像)은
'몸 마음' 사이에서 좋고 싫은 '감각 감정 생각'과 언행(言行)으
로 드러났다 사라지며 하나로 맞물려 돌아간다.

사람의 '몸 마음'이라는 본질과
'몸 마음' 사이, 좋고 싫은 '감각 감정 생각'과 언행이라는 현
상으로 이루어진 앎이
'허상이라는 사실'을 알게 되는 마지막 과정이
놓아둬 봄이다.

좋고 싫음을 허락하고 '감각 감정 생각'을 놓아둬 보면,
현실 감각(精)의 말과 행동으로 옮겨지지 않고
생각(神)의 기억과 상상 속 감각 속에서 감정(氣)이 좋아하고
싫어하는 대로 말하고 행동하며 저절로 펼쳐지며 돌아간다.

본래 신(神)에서 시작된 것이기에
본래 신으로 끝나는 현상을

본질인 '몸 마음'으로 놓아둬 본다.

사람의 앎이
'본질과 현상'으로 이루어진 허상임을 알게 되고,
허상을 비추는 실상은
사람에게는 모름이라는 사실을 알게 되고
허상과 실상이 뗄 수 없는 하나의 음양이라는 사실도 알게 된
다.

눈과 마음과 리(理)로
세 판이 한 통으로 있는
실상과 허상을
한눈에 보게 된다.

이론을 믿고 실천해 보면
정말, 그러하다.

물론, 믿음과 실천과 확인 또한
실상인 음양의 '통합된 분화' 작용으로
저절로 일어나는 허상이다.

하나에서 둘과 셋을 아우르고
둘에서 셋과 하나를 아우르고
셋에서 하나와 둘을 아우른다.
하나와 둘과 셋이 한 통으로 맞물려 돌아가고 있다.

원형(原形)의 하나가
음양(陰陽)의 두 힘을 통해
정기신(精氣神) 세 판으로 드러난다.

사람은 무수한 셋의 자리 중 하나이기에
인생도 삼세판이다.

무극(無極). 하나가
태극(太極). 두 음양으로 밀고 당기는 씨름을
황극(皇極). 삼세판 펼친다.

하나. 모름이
둘. 음양의 법칙으로
셋. 앎의 시공간 씨름판을
펼치고 갈아엎고

다시 펼치고 갈아엎는다.

시작도 끝도 없는 무한궤도(無限軌道)다.
'무극 태극 황극'이 '하나의 님'으로 공존하는
무진장(無盡藏) 씨름판이다.

사람의 '몸 마음'으로
사람의 앎을 씨름씨름 앓아
사람의 유한(有限)한 앎과 무한(無限)한 모름을 아우른다.

눈으로 보면, '나'는 시공간 속 중심의 사람이요
마음으로 보면, '나'는 시공간을 품은 전체요
리(理)로 보면, '나'는 '중심과 전체'의 앎을 낳는 모름이요

'눈과 마음과 리'로 온전히 보면,
나는 하나의 모르는 죽음(저승)과 셋의 아는 삶(이승)을
둘의 음양으로 아우르는 '하나의 님'이다.

나는 삼판양승이다.

운명(運命)

음양론(陰陽論)은 운명론(運命論)이다.

사람이라는 독립된 실체가 존재하지 않기에 사람에게는 자유의

지가 없다고 말한다.

땅 위 사람의 자리에서 일어나는 모든 앎은

천운(天運)의 명령(命令)이다.

앎의 삶이 운명(運命)이기에

삶은 무위(無爲)일 수밖에 없다.

우주(宇宙)라는 시공간을 상상해 보자

천체물리학에서 지금 우리가 살고 있는 우주의 시간을 대략

138억 년이라 보고 있으며 우주의 공간은 알 수 없다고 말한

다.

최근에는 '등각 순환 우주론(Conformal Cyclic Cosmology)'

의 등장으로 무한한 시공간을 말하고 있다.

우주의 공간에는 사람이 알 수 없는 중력과 암흑 에너지와 암흑 물질로 가득 차 있고, 우주의 시간으로는 상상할 수 없이 정교하고 복잡한 통합과 분화 과정으로 소립자에서 원자와 분자로 통합하고, 항성과 행성과 성간 물질이 만들어지고, 지구 위 세포가 출현하고 세포의 통합과 분화로 수없이 다양하고 많은 생명체로 진화하고 있다.

지구 위 사람이라는 단위의 생명체는
이 모든 시공간의 정보가 집약된 결과물이다.

하지만, 천체물리학과 입자물리학에서도 우주의 극대(極大)와 극소(極小)는 사람의 의식으로는 알 수 없다고 말한다.
사람의 의식을 우주가 하나로 작용하여 내고 들이기 때문이다.
과학에서도 우주와 사람의 실체는 증명할 수 없는 이론(理論)일 뿐이다.

사람의 '몸 마음'과
'몸 마음' 사이, 좋고 싫은 '감각 감정 생각'과 언행(言行)을 장구(長久)하고 장엄(莊嚴)한 우주가 연기(緣起)하고 있다.

사람이 모르는 운명으로,

지금 여기에서 글이 쓰이고 있고

지금 거기에서 글이 읽히고 있는,

사람이 아는 삶이 저절로 펼쳐지고 있다.

운명론에서는

사람의 앎과 모름이

뗄 수 없는 하나의 음양이라고 말한다.

사람의 모름을, 말 그대로, 사람은 모른다.

하지만, 사람의 앎을 통해 앎과 하나인 모름을 미루어 알 수

있다고 말한다.

말로 표현할 수도 없고 상상할 수도 없이 강력한 우주가

연기(緣起)하는

좋고 싫은 '감각 감정 생각'과 언행(言行)이라는 현상을

온전히 앓아 보면

과학에서 설명하지 못하는 본질인 '몸 마음'을 발견하게 된다.

사람의 '몸 마음'으로, 앎이 아니기에, 손 쓸 수 없는

모르는 운명에 모두 내맡기고
사람의 '몸 마음'으로, 알 수 있어, 손 쓸 수 있는
아는 삶을 온전히 허락하여
앓아 본다.

앎을 앓아 보면
알게 된다.

우리는
사람의 앎을 비추는
사람이 모르는 운명이다.

이 앎 또한
모르는 운명으로 일어난다.

운명으로, 사람의 '몸 마음'이 자리를 잡고
운명으로, 사람의 '몸 마음' 사이에서 좋고 싫은 '감각 감정 생
각'과 언행(言行)이 펼쳐지고
운명으로, 앎의 대상을 손대거나 허락하고
운명으로, 앎의 자각이 일어나고

운명으로, 깨달음이 일어나고
운명으로, 이 모두가 꿈속임을 알게 된다.

실상인 음양의 운행으로 중심이 생기고
무수히 많고 다양한 중심의 연기로
사람이라는 단위 중심에
앎이라는 허상이 비치고 있다.

음양은 사람의 '몸 마음'으로 비치고,
음양의 운행, 중심과 전체 사이 상생상극(相生相剋)의 힘으로
사람의 '몸 마음', 중심과 전체 사이에 좋고 싫은 '감각 감정
생각'과 언행이 비치고,
사람이라는 단위, 음양기운(陰陽氣運)의 편차인 기질(氣質)이
외모, 성격, 식성, 취향 등의 개성으로 비치고
사람이라는 단위, 음양의 '통합된 분화' 과정이
'집착, 거부, 조작, 통제, 외면, 알아차림, 놔둬 봄, 깨달음'의
성장 과정으로 비치고 있다.

우리의 실상은 시작도 끝도 없는 음양의 동정(動靜)이다.
우리의 허상인 삶과 죽음은 무위자연(無爲自然)이다.

가슴앓이

사람은 감정의 동물이다.
머리의 정보로 분별과 판단이 저절로 일어나지만
마지막 결정은 가슴의 감정을 따르게 된다.

이론적 머리의 앎이 있어도
가슴으로 떨어져 온몸으로 앓지 않으면
완전한 쉼이 찾아오지 않는다.

사람은 누구나 만족을 추구한다.
환경적인 조건에서 만족감이 찾아오기에
그 감각적 상황을 좇게 되지만
사람이 좋아하고 싫어하는 건 감각에 반응한 감정이기에
감정이 온전히 울려질 때까지
기억과 상상의 생각에 이끌려
새로운 환경을 찾아 헤맨다.

어린 시절에

온전히 울리지 못한 감정이

사랑받기 위해

다시 울려온다.

거부된 울림은 또다시 외면되고,

만족하지 못했던 울림을 대신할

감각적 환경을 또다시 찾아 나서게 되고

잠시 편해지지만

또다시, '기억과 상상'의 생각에 반응한

불편한 울림이 울려온다.

마음이 가슴으로 돌아올 때까지 방황은 계속된다.

마음이

좋아하고 싫어하는 힘에 이끌려

감각과 감정에 손을 대지 않기까지는

긴 시간이 걸린다.

음양의 '통합된 분화' 작용이 비추는

몸과 마음이 떨어져 나가는 성장 과정에서

'욕심과 아픔'의 시공간을 지나지 않을 수 없다.

어린 시절 거부된 두려움을 온전히 앓고
충분히 울리지 못했던 욕망을 온전히 울려 본다.

고여 있던 감정이
생각 속 말과 행동으로
맘껏 흐를 수 있도록 놓아둔다.

생각 속에서
감정이 좋아하고 싫어하는 대로
감각적 말과 행동으로
솔직하게 토해져 나올수록
몸과 마음이 떨어져 나간다.

아무리 사소한 서운함과 불평분만이나 원망이라도
아무리 사소한 아쉬움과 그리움이나 서러움이라도
남김없이 토해져야 한다.

사람은 가슴앓이로 성장한다.

가슴이 중심의 땅에서 전체 하늘로 끝없이 자란다.

가슴에서 온몸으로 든든해지고

세상을 온전히 품게 되고

쉼이 저절로 찾아오고

머리의 앎이 선명해진다.

또다시,

욕망의 바람이 저절로 불어오고

저절로 바람에 휩쓸려 방황하고

저절로 아프고 저절로 성장하고

또다시,

온전한 가슴앓이를 통해 쉼이 저절로 찾아오고

앎이 저절로 자라고, 그 앎에 취해 저절로 자만하고

또다시,

저절로 부는 바람에 이끌려

맞물려 돌고 돌아가지만

마지막 종착지는 언제나

좋고 싫은 가슴앓이다.

현실과 기억과 상상 속에서

맘껏 좋아하고 맘껏 싫어하며
가슴을 앓아 간다.

설명할 수 없는 가슴앓이
정말 아리고 벅차다.
어찌할 방법이 없다.
앓아 보는 수밖에!

앓아 가다 보면
앓음이 곧 사랑임을
저절로 알게 된다.

사람의 가슴앓이로
중심의 이기적 감정과 전체의 자비를
조화로운 하나로 아우른다.

사람의
좋고 싫은 가슴앓이를
기쁨과 슬픔을
분노와 두려움을

토해내는 말과 행동을
세상(世上)과 세하(世下)
하나의 세계(世界)가
연기(緣起)하고 있다.

모름이 낳은 알이 앎이요
앎은 삶이자 사람이요
사람이 사랑이요
사람이 삶을 앓는 사랑으로
모름을 낳는다.

모름이 사람의 자리에
앎을 비춰 울려 봐 보고 있다.
앎이 모름이요 모름이 앎이다.

사람의 가슴앓이로
앎과 모름을 하나로 아우른다.

좋고 싫은 이 울림을 통해
모든 비밀이 드러난다.

사랑과 자비, 그 너머

사람의 감각과 감정은 뗄 수 없는 하나다.
감각과 감정이 변하면서 돌고 돌아 생각이 만들어진다.
사람이 '알 수 있는' 대상은 '감각과 감정'뿐이다.

사람이라는 자리
중심의 여섯 감각에 반응한 감정은 이기(利己)요
전체 바탕의 감각에 반응한 감정은 사랑이요 자비다.

세상의 중심과 전체가 뗄 수 없는 하나이듯
이기심이 있기에 자비가 있고
자비가 없으면 이기심도 없다.
이기(利己)와 자비(慈悲)는 하나의 생명이다.

사랑과 자비 또한 앎의 꿈속 일이다.
사랑과 자비 또한 세상(世上)의 연기(緣起)요
세하(世下)의 비춤이다.

사랑과 자비는 '알 수 있는' 전부를
믿고 허락하여 두고 봄이다.

사람의 '몸 마음' 사이
앎의 중심에서 일어나는
이기(利己)의 집착과 거부를
앎 전체에서
그 모습 그대로 두고 보고
그 울림 그대로 울려 보고
말과 행동이 펼쳐지도록 허락해 봄이
사랑과 자비다.

음양의 생명력이
'몸 마음'의 본질 위에
이기(利己)와 자비(慈悲)라는 현상을 비춰 보고 있다.

'몸 마음'과 '몸 마음' 사이 이기와 자비는 허상이요
음양의 생명이 실상이다.

실상은 허상의 앎을 비추는 모름이요

사랑과 자비라는 앎 이전이다.

실상의 음양이 동(動)하여
그 운동의 중심에 앎의 '현상과 본질'을 그린다.
'현상과 본질' 사이 앎의 궁극은 이기와 자비의 조화요
궁극의 앎은 모름이다.

본질의 몸 위로
좋고 싫은 '감각 감정 생각'의 현상이 비칠 때
본질의 마음이
중심의 힘에 이끌리면,
집착과 거부의 말과 행동으로 현상이 펼쳐지고
전체 힘에 이끌리면,
조작과 통제의 말과 행동으로 현상이 펼쳐진다.

조작과 통제는 중심에 비해 상대적인 전체 입장이지만
온전한 전체 바탕의 사랑과 자비는 아니다.
조작과 통제는 '사랑과 자비'라는 이름으로 가장한 이기심에
가깝다.

현실 감각의 정(精)과 생각 속 감각의 신(神) 사이에서
정신(精神)이 차려지면
사람의 마음이 기(氣)의 감정을
표출하거나 억압하거나 외면하지 않기에
감정이 밖의 현실 속 말과 행동으로 펼쳐지지 않고
안의 생각 속에서 집착하고 거부하고 조작하고 통제하는 말과
행동이 펼쳐지며 순리대로 흘러가게 된다.

감정이 생각 속에서 펼쳐질수록 몸과 마음이 떨어져 나가고
온전한 전체 세상의 '몸 마음'으로
사람 중심의 이기와 세상 전체 자비를 아울러
조화를 이루게 되고
사람과 세상이 하나의 '몸 마음'임을 알게 된다.

사람의 모든 앎과 앎 속 성장이
사람이 모르는 음양의 '통합된 분화'로 저절로 일어나고 있다.

모름. 태극의 동정(動靜)으로 무극과 황극이 공존한다.
앎. '몸 마음'의 동정으로 삶과 죽음이 공존한다.
앎과 모름이 뗄 수 없는 하나로 공존한다.

모르는 하나님이
앎의 세상을
이기와 자비로 즐긴다.

삶은
즐기는 법을 앓아 가는
성장 과정이 된다.

앎의 시공간 전부를 품고도 남을 만큼
'몸 마음'이 커지고
무자비한 모름까지 끝없이 성장하고
사람의 '몸 마음'으로
이기와 자비를 조화롭게 아우르고
앎과 모름을 하나로 아우른다.

'나'의 '몸 마음'으로
중심의 좋고 싫은 이기의 감정을 온전히 울려 봐 본다.
중심 감정과 전체 시공간이 연기(緣起)하고 있음을 앓아 본다.
중심의 이기와 전체의 자비를 아울러 본다.

'지금 여기' 시공간 전체 감각의 변화는 크고 다양하지만
'지금 여기' 시공간 중심 감정은 '좋고 싫은 울림' 뿐임을 앓아
본다.

'지금 여기'에서 '알 수 있는 대상'은
'감각과 감정' 뿐임을 알게 된다.
'지금 여기' 사람의 '몸 마음'에 앎의 우주(宇宙)가 들어있음을
본다.

사람의 중심에
사람이 모르는, 음양의 밀고 당김이
사람이 아는, 시공간을 펼치고 있음을 본다.
'좋고 싫은 울림' 속에 모든 해답이 들어있음을 본다.
음양뿐임을 본다.

모르는 실상이 아는 허상을 비추고 있음을 본다.
실상과 허상이 뗄 수 없는 하나임을 본다.
하나와 둘과 셋이 한 통으로 맞물려 돌아감을 본다.

변하지 않아 보이기에 '알 수 없는'

공적(空寂)한 몸 위에 비치는
변해 보이기에 '알 수 있는'
좋고 싫은 '감각 감정 생각'과 언행을
영지(靈知)한 마음으로 본다.
이 앎이 모르는 실상이 비추는 허상임을 본다.

있어 보이는 앎이 허상이요
없어 보이는 모름이 실상이요
모름에서 전해오는 이 앎도 허상임을 본다.

사람의 자리에
실상과 허상이 하나의 음양으로
꼬리에 꼬리를 물고 돌아감을 본다.
이 또한 허상의 앎이다.

허상과 실상이
삶과 죽음이
이기와 자비가
하나로 맞물려 돌아가기에
만물은 영생이다.

피조물에서 창조주로

우리는 태어나서 살다가 죽는 사람이라 믿고 살지만
사람의 삶을 온전히 앓아 가다 보면
우리는 음양의 법으로 사람의 삶을 내고 들이는 창조주라는 사
실을 알게 된다.

사람의 좋고 싫은 '감각 감정 생각'과 언행이
창조주인 우리의 설계대로 나들고 있다.
사람의 삶인 세상이 음양의 '통합된 분화' 법칙으로 돌아간다.

사람이라는 육체를 '나'라 믿고 있을 때는 좋고 싫은 '감각 감
정 생각'을 따라가 실제의 말과 행동으로 표출하거나 참거나
외면하거나 생각 속에서 맴돌거나 지쳐 잠 속으로 빠지게 된
다. 다시 잠에서 깨어 같은 과정을 반복하면서 성장하게 된다.

때가 되어, 사람의 좋고 싫은 감정이 하고 싶은 대로 놓아두어
보게 되면, 감정이 생각 속으로 말과 행동을 펼치며 저절로 흘
러간다.

이 모든 과정을 허락해 보고 있는 마음을 자각하게 되고, 좋고 싫은 '감각 감정 생각'과 언행이 나드는 바탕의 몸을 확인하게 된다.

바탕의 몸이, 앎이 일어나는, 세상의 몸이요 몸을 보는 마음 또한 세상의 마음임을 확인하게 되고 사람이라는 독립된 실체가 없음을 알게 된다.

사람의 좋고 싫은 '감각 감정 생각'이 저절로 일어나고 저절로 말과 행동으로 표출되고 저절로 통제되고 저절로 외면되고 저절로 허락되고 있다. 앎의 세상 속 만물이 음양의 '통합된 분화'법칙으로 저절로 나고 살고 지고 있다.

모든 현상이 사람이라고 부르는 중심과 세상이라고 부르는 전체의 '몸 마음' 사이에서 저절로 펼쳐지는 꿈임을 알게 되고, 본질의 '몸 마음' 또한 앎이라는 꿈의 구성 요소임을 알게 된다.

허상의 앎을 그리는 창조주가 실상의 '나'라는 사실을 알게 되고, 창조주인 우리는 사람에게는 모름이라는 앎이 일어난다.

우리는

하나이면서

둘인 음양의 동정(動靜)으로

셋의 피조물인, 사람의 앎을 즐기는

사람이 모르는 창조주다.

모르는 하나님이 음양의 동정으로 셋의 앎을 즐기고 있다.

우리는 시작도 끝도 없는 창조주다.

우리 스스로 시공간의 세상 속 사람이라는 앎의 중심을 만들어

사람이 '나'라는 착각을 스스로 일으키고, 세상과 사람을 성장

시켜 창조주인 우리 본래로 스스로 돌아오지만, 사실은 아무

일도 일어나지 않았음을 알게 된다.

'일'과 '일 없음'이 뗄 수 없는 하나로 있다.

사람의 자리에서는 말이 안 되지만

사람의 자리에서 일어나는 모든 앎을 온전히 앓아 보면

말이 된다.

사람의 자리에서 볼 때,

'알 수 없음'이 있기에 '알 수 있음'이 있고
모름이 있기에 앎이 있고
아는 피조물을 통해 모르는 창조주를 알게 된다.

사람에게는
'알 수 없는' 몸과 마음이 본질이요
'몸 마음' 사이, 중심이 있는, '알 수 있는' 좋고 싫은 '감각 감
정 생각'과 언행이 현상이요
'현상과 본질'이라는 앎이 허상이다.

앎의 허상을 모르는 실상이 비추고 있고
허상과 실상이 뗄 수 없는 하나로 있다.

사람의 자리에서
허상의 피조물과 실상의 창조주를
하나로 아우른다.

우리는 창조주와 피조물이
하나와 둘과 셋으로 맞물려 돌아가는
'하나의 님'이다.

논리에서 믿음으로

논리적이라는 말은 시공간 속 사물(事物)에 해당한다.
시공간 속에 있는 사람은 논리적 생각에서 벗어날 수 없다.
사람의 언어는 시공간 속 삶의 유용한 도구다.
시공간을 일으키는 그 무엇은 언어 이전의 모름이다.

사람의 감각과 감정이 고정됨 없이 변하면서 생각이 저절로 만들어지고 생각과 감정과 현실의 감각이 밀고 당기며 맞물려 돌고 돌아 말과 행동이 저절로 일어나면서 앎의 인생이 펼쳐진다.

사람이라는 자리 앎의 내용이 시공간 속 현상을 만들고
앎의 내용이 지닌 한계로 시공간 속에 갇힌다.

사람이 변하는 앎을 말과 글로 붙잡아서 가지고 논다.

시공간 전체를 이루는 감각과 생각을 논리적으로 표현하기는
쉬운 편이지만, 시공간의 중심인 감정을 말과 글로 표현하기는

쉽지 않다. 감정은 좋고 싫은 울림 그 자체이기에 말과 글로
붙잡는 순간 어긋나 버린다.

사람의 앎이 일어나는 바탕의 몸과 이 몸을 보고 있는 마음은
언어가 나고 지는 자리이자 보는 그 무엇이기에
언어로 표현할 수 없다.
'몸 마음' 사이에서 앎의 시공간이 펼쳐지지만
'몸 마음' 또한 앎의 구성 요소이다.

'몸 마음'과, 그 사이, 앎의 내용을 내고 들이는 모름은
존재한다는 사실만 알 수 있을 뿐,
앎이 아니다.

사람을 그리는 모름을
사람이 그리스도 부처님 하나님 등으로 부르지만
이 또한 모름이 낳은 앎이다.

모름을 믿고
앎을 즐길 수밖에 없다.

즐긴다는 건
머리의 이론으로 설명할 수 없는
가슴의 좋고 싫은 울림을 온전히 앓아 봄이다.

가슴의 울림이 좋아하는 대로 머리의 생각 속에서 말과 행동으로 저절로 펼쳐지도록 놓아두고 앓아 본다.
가슴의 울림이 싫어하는 대로 머리의 생각 속에서 말과 행동으로 저절로 펼쳐지도록 놓아두고 앓아 본다.

머리로 설명할 수 없는 가슴의 좋고 싫은 울림을 온전히 허락하여 가슴이 하고 싶은 대로 머리의 생각으로 말과 행동이 순리대로 펼쳐지는 앎의 내용을 그 모습 그대로 앓아 볼수록 모름을 향한 앎이 선명해지고 모름을 향한 믿음이 확고해진다.

모름을 향한 믿음이 확고해질수록
모름이 낳은 앎을 더욱 믿고 놓아둬 앓아 보게 된다.

사람의 자리에
모름을 향한 믿음을 모름 스스로 일으킨다.

삶을 믿어 앓아 볼수록
삶을 즐기는 도사(道士)가 되어 간다.

삶이 슬겨질수록 삶이 허싱임을 알게 되고
삶을 비추는 음양(陰陽)의 이치(理致)가 깨달아진다.

사람이 모르는 실상이 사람의 자리 아래에서
사람이 아는 허상을 사람의 자리 위로 비추고 있다.

사람은 '모름의 앎'이라는 꿈자리다.
이 앎 또한 실상이 비추는 꿈속이요 허상이다.
꿈속에서 논리와 믿음이 공존하고 있다.

실상은
하나와 둘과 셋이 맞물려
꼬리에 꼬리를 물고 돌아가는 한 통이기에,
실상이 비추는
허상의 말 또한
꼬리에 꼬리를 물고 돌아갈 수밖에 없다.

나의 '몸 마음'으로,

나의 모름을 믿고 나의 앎을 허락한다.

정(精)의 감각과 기(氣)의 감정과 신(神)의 생각이

꼬리에 꼬리를 물고 저절로 돌아간다.

세상에 좋은 말과 행동은 정(精)의 현실로 흘러가고

'나'만 좋고 싫은 말과 행동은 신(神)의 생각으로 흘러가며

하늘과 땅과 사람이 조화롭게 맞물려 돌아간다.

머리의 논리가

가슴의 믿음으로 떨어져

온전한 앓음을 통해 '몸 마음'이 떨어져 나가고

셋의 중심에서 완전한 '둘이면서 하나'가 되어

앎과 모름을 아우르는 성인(成人)이 된다.

하나와 둘과 셋이 한 통으로 맞물려 돌아간다.

모두, 허상이다.

모르는 하나님이

사람이라는 가상(假像)의 자리에

'논리와 믿음'이라는 앎을 일으키고 있다.

천동설에서 지동설로

사람의 자리 땅에서 보면,
땅은 그대로 있고 하늘이 돌고 있다.
사람의 자리 하늘에서 보면,
하늘은 그대로 있고 땅이 돌고 있다.

사람의 자리 중심에서 눈으로 세상을 보면,
'나'는 그대로 있고 '나' 밖의 세상이 '나'를 중심으로 돌아가는
것처럼 보인다.
사람의 자리 전체에서 마음으로 세상을 보면,
'나' 안에서 세상과 만물이 돌아가는 것처럼 보인다.

사람의 자리 중심과 전체가 일으키는 '앎'을 리(理)로 보면,
변하는 '앎'의 세상은 허상이요
모르는 실상 안에 아는 세상이 그 모습 그대로 있다.

음양의 '통합된 분화' 운동이 일으키는 사람의 '앎' 또한 변하
고 성장한다.

앎 속 현상(現象)이 본질(本質)의 '몸과 마음' 사이에서 나고 지
고 있음을 보게 되고,
사람이라는 단위가 '나'라는 앎에서
세상이 '나'라는 앎으로 성장하고,
사람의 모든 앎이 허상(虛像)이며
실상(實相)은 사람의 모름이라는 앎으로 성장하고,
앎과 앎을 일으키는 모름이 하나라는 앎으로까지 성장한다.

이제, 앎을 즐기는 법을 배워간다.
앎을 즐기는 법은 끝도 없이 자란다.

천동설에서 지동설로 개벽(開闢)이 일어나고,
천동설과 지동설이 하나의 음양이라는 앎이 일어나고,
세상은, 하늘과 땅과 사람으로 대표되는, 세 판이 한 통으로
이루어져 있음을 보게 되고,
앎의 세상(世上)은 모르는 세하(世下)의 꿈임을 알게 되고,
앎과 모름이 하나의 세계(世界)라는 앎이 일어난다.

천동설을 믿든 지동설을 믿든,
사람이 '나'라고 믿든 세상이 '나'라고 믿든,

앎은 꿈이며 '나'는 없다고 믿든,
진실은 모름이다.

사람 중심의 앎인 천동설도 옳고
사람 전체의 앎인 지동설도 옳다.
사람의 앎이 허상이기에 '옳고 그름' 또한 꿈속 분별이다.

사람의 자리에서 볼 때,
허상인 앎을 통해서만 실상인 모름을 확인할 수 있기에
삶을 꿈처럼 보지만, 삶을 꿈처럼 무시(無視)할 수는 없다.

사람이 모르는 음양의 리(理)로
음양의 기(氣)가 움직여
사람의 앎을 낳고 기르고 지운다.

사람의 자리에서
앎과 모름을 하나로 아우른다.

사람의 자리에
우주(宇宙)가 무진장(無盡藏)이다.

색즉시공(色卽是空)

사람은
'나'라고 믿고 있는 육체를 포함한
세상의 진짜 모습을 볼 수 없다.
몸에 비친 세상만을 볼 수 있을 뿐이다.

사람의 몸에 비친 세상은
사람의 의식인 마음에 좋고 싫은 '감각 감정 생각'과 언행이라
는 현상으로만 보인다.

사람의 앎 전부가 허상이라고 말하지만
실상과 허상은 뗄 수 없는 하나이기에
허상이 곧 실상이라 말할 수 있다.

'알 수 있는' 색(色)이라는 현상이
'알 수 없는' 본질 안에 있기에 색은 공(空)과 같고,
공(空)은 알 수 없을 뿐, 비어있음이 아닌 영원한 생명으로 충
만한(塞, 색) 실상의 표현이기에

'色卽是空 空卽是塞'이다.

색(色)이라는, 현상의 좋고 싫은 '감각 감정 생각'과 언행이
공(空)이라는, 생명 현상의 본질인 '몸 마음' 안에서 일어난다.
하지만, 이 앎이라는 '현상과 본질' 모두 모르는 실상이 비추는
허상이다.

실상의 음양이 움직인다.
사람이라는 중심에 좋고 싫은 앎이 드러난다.
음양이 고요해진다.
사람의 앎이 사라진다.

음양의 동정(動靜)이 공존한다.
변하는 허상의 시공간이
모르는 실상 속에 그 모습 그대로 무진장(無盡藏)으로 있다.
무한한 생명으로 가득하다.

직지인심(直指人心)

마음(心)이라는 단어에는 많은 뜻이 있다.
감정과 생각, 의도나 뜻, 정신, 의식, 내면, 중심, 본성 등
쓰는 사람에 따라 다양한 의미를 나타낸다.
심지어 세상 전체를 마음이라 말하기도 한다.

마음이라는 단어를 가장 좁은 의미로 쓴다면,
심장(心臟)을 중심으로 울리는 가슴의 감정이 될 것이다.

말로 표현할 수 없는 가슴의 울림을 온전히 울려 보면
마음이 무엇인지 알게 된다.

말과 글로써 남에게 전할 수 없는 가슴의 울림 속에
세상의 비밀이 모두 들어있다.

세상에서 가장 먼 거리가 머리에서 가슴까지라고 말한다.
곧장 가슴의 중심(中心)으로 들어가 그 울림 속에 있어 보면
모두 알게 되지만, 머리의 생각을 따라가기에 말과 글에 머물

게 된다.

가슴은
좋고 싫음이 감돌아 치는
완전한 생명 그 자체다.

가슴의 좋은 이 울림을 온전히 울려 봐 본다.
가슴의 싫은 이 울림을 온전히 울려 봐 본다.

마음을 마음으로 울려 보고 있다.
마음 안에 온 세상이 다 들어있다.

가슴의 울림이 곧 행복임을 앓아 본다.

시작도 끝도 없는
하늘과 땅과 사람이 연기(緣起)하여
몸 전체 감각이 일어나고 중심의 감정이 울리고
머리의 시공간 전체 생각이 반응하고 가슴의 감정이 울리고
좋고 싫음을 따라가 현실의 감각적 말과 행동이 일어난다.

현실 속 감각의 정(精)과 생각 속 감각의 신(神)
그 중심(中心)에 사람의 기(氣)인 감정이 울린다.
감정은, 좋고 싫은, 기운의 밀고 당김이다.

땅의 감각과 하늘의 생각
그 중심(中心)이 사람의 감정이다.
중(中)은 아우름이요 심(心)은 밀고 당김이다.
사람의 심장(心臟)이 밀고 당겨 생명을 유지하듯
음양이 밀고 당겨 세상을 그리고 있다.

사람의 감정이
땅의 감각적 말과 행동으로 펼쳐지든지
하늘의 생각 속 말과 행동으로 펼쳐진다.
땅의 업(業)은 셋의 보(報)를 낳고
하늘의 업(業)은 하나로 소통한다.

정기신(精氣神)이
세상에서는 천지인(天地人)으로 표상(表象)되고
사람에게서는 '감각 감정 생각'으로 표상된다.

셋의 앎이

음(陰)의 몸과 양(陽)의 마음 사이에서 저절로 펼쳐진다.

하나의 '몸 마음'이다.

사람의 모름에서

사람의 앎이 오가지만

모름과 앎은 '하나의 님'이다.

사람의 앎 속

좋고 싫은 '감각 감정 생각'과 언행

몸과 마음

이기(利己)와 자비(慈悲)

지금 이대로 완전한 행복

모두 하나가 펼치는 꿈이다.

하나가 둘로 펼치는 셋이

'하나의 님'으로 공존한다.

'하나의 님'은

사람의 자리에서는

앎과 모름의 공존이다.

사람의 '몸 마음'으로
앎과 모름을 아우른다.

곧장
사람의 중심(中心)으로 들어가
좋아하고 싫어하는 둘을
맘껏 즐기다 보면
모르는 하나와 아는 셋을 아우르게 된다.

이 또한, 저절로 일어난다.
아니, 아무 일도 일어나지 않고 있다.

지금 여기
일과 일 없음이
하나로 있다.

한 마음뿐이다.
말(道)장난이다.

오온(五蘊)

불교에서, 사람은 일시적 오온(五蘊)의 뭉침이라고 말한다.
오온(五蘊)이 허상이기에 사람 또한 허상이라고 한다.

색(色). 보고, 듣고, 냄새 맡고, 맛보고, 감촉하고, 내부감각을
경험하는 전체 여섯 감각
수(受). 감각에 반응하는 중심의 밀고 당기는 네 감정
상(想). 감각과 감정이 돌고 돌아 저장된 정보와 그 정보를 기
반으로 생겨나는 생각, 이 모두에 대한 분별과 판단 그리고 이
상황을 중계하고 잡아두는 내부의 말
행(行). 내부의 색수상(色受想)이 돌고 돌아 밖으로 표출되는
말과 행동.
식(識). 변하지 않아 공(空)해 보이는 바탕의 몸, 몸 위에서 변
하는 색수상행(色受想行)이 돌고 돌아 짓는 시공간을 보고 있
는 마음, '몸 마음' 사이의 앎.

모르는 실상이
아는 허상의 오온(五蘊)을 비추고 있다.

무아(無我) 연기(緣起)

사람이라고 부르는

분리된 '나'는 본래 없다.

사람이라는 '나'는

모르는 음양이 관계하여

수없이 많고 다양한 중심의 인(因)과

전체 연(緣)이

하나로 이어져 일으키는

국소적이고 한시적인 앎의 자리다.

이 사실을 깨달은,

시공간 속 '석가모니'라 부르는,

분리된 사람은 없다.

시공간은

하나가 둘로 나뉘어 도는 중심인

셋의 자리에서만 나타나는 허상이다.

실상은 하나와 둘과 셋이 하나로 있다.

사람의 앎인 깨달음 또한 허상이지만
허상인 앎을 온전히 믿어 앓아 볼수록
모르는 실상을 향한 믿음이 확고해진다.

사람이 모르는 실상을 부처라 부르지만
부처가 낳은 '사람이라는 허상의 앎' 또한 부처다.

우리는
사람이 아는 허상과
사람의 모르는 실상이
하나로 있는
부처다.

부처라는 앎 또한, 꿈속이다.
꿈속이라는 앎 또한, 모름에서 전해오는 소식이다.

사람이라는 무아(無我)의 자리에
앎과 모름이 연기(緣起)한다.

원초적 욕망

사람은 생존과 번식이 우선인 동물이다.

그렇기에 사람의 기본 욕구는 식욕과 성욕과 수면욕이다.
살기 위해 먹고, 종족 보존을 위해 번식한다.
깨어 있는 동안 손상된 육체와 소모된 힘이 잠을 통해 회복된다.

식욕과 성욕과 수면욕 또한 음양(陰陽)의 밀고 당김으로 저절로 일어난다. 사람 중심 이기(利己)의 좋고 싫음과 사람 전체 자비(慈悲)의 밀고 당김이 조화로운 하나로 작용한 결과물이다.

원하는 음식을 먹고 포만감을 느끼면 음식을 거부하게 된다.
성욕을 통해 새끼를 배고 낳고 기를 때는 이성을 거부하게 된다. 충분한 잠을 통해 저절로 활동으로 이어진다.
물론, 개인차는 있다.

식욕은 삶을 향한 욕구라 할 수 있고

수면욕은 죽음을 향한 욕구라 할 수 있고
성욕은 삶과 죽음이 공존하는 욕구라 할 수 있다.

삶에도 욕심과 두려움이 공존하고
죽음에도 두려움과 욕심이 공존한다.
삶과 죽음이 뗄 수 없는 한 음양이기 때문이다.

사람은 사회적 욕구가 충족되지 않을 때, 식욕과 성욕과 수면
욕으로 대리 만족하는 경우가 많다.

사회적 불만은 원하는 감정을 충분히 울리지 못할 때 일어난
다. 현실의 감각과 생각의 차이로 감정이 일어날 때, 감정이
원하는 대로 상상으로 온전히 펼쳐지도록 허락해 본다.

현실의 감각이 변하는 데는 긴 시간이 필요하지만,
상상을 통해서는 짧은 시간에도 못 할 게 없다.

사회적 감정의 욕망이든
원초적 육체의 욕망이든
온전히 충족되어야 건강한 삶이다.

실제 감각과 생각의 감각 사이에서
'몸 마음'이, 정신이 차려지고
'몸 마음'으로, 감정과 육체적 욕망을 온전히 앓아 본다.

몸과 마음
'몸 마음' 사이, 좋고 싫은 '감각 감정 생각'과 언행
앎 전부가 꿈임을 확인한다.

앎이라는 꿈이
음양의 '통합된 분화'의 힘으로
저절로 일어난다.

음양의 동정(動靜)으로
앎과 앎을 비추는 모름이
사람의 자리에
'하나의 님'으로 있을 뿐이다.

완전한 모름이
완전한 앎의 열매를 맺기 위해
생존과 번식의 원초적 욕망을 일으킨다.

사람이라는 앎의 단위

지금 사람이라는 자리에서 일어난 앎을 글로써 표현하고 있다.

세상 속 사람은 앎의 한 단위다.
전체 하나 속에 수많은 앎의 단위가 존재한다.

소립자가 모여 원자라는 단위를 이루고 원자가 모여 분자라는 단위를 이루고 분자가 통합하고 분화하여 유기 무기물을 이루고 세포의 단위를 이루고 뭇 생명체의 단위로 이어지고 있다.

하위 단위가 모여 상위 단위의 매듭을 맺고 그 매듭이 이어져 다시 상위 매듭을 맺으며 하나로 이어진 세상을 이루고 있다. 각 단위에서는 그 단위에서만의 앎이 일어나고, 그 앎의 한계로 분리하는 착각이 일어나고 그 착각이 그 단위의 역할이다.

사람의 앎은 사람의 본질인 '몸 마음'과 현상인 좋고 싫은 '감각 감정 생각'과 언행으로 이루어져 있다. 사람의 '몸 마음'으로 좋고 싫은 '감각 감정 생각'을 표출하거나 억누르거나 외면하거나 허락하는 말과 행동이 저절로 그려지고 있다.

사람이 '알 수 있는' 대상을
사람이 '알 수 없는' 우주가 연기(緣起)하고 있다.
사람이 알 수 있든 알 수 없든,
세상은 사람이 모르는 원리로 돌아가고 있다.

'현상과 본질'이라는 사람의 앎은
사람이 모르는 음양의 '통합된 분화' 운동으로
저절로 펼쳐지고 저절로 접힌다,

음양 운동의 동정(動靜)으로,
사람이라는 단위에서,
앎과 모름이 공존한다.

허상의 앎에서는 실상의 모름은 믿음의 영역이다.
실상의 모름을 향한 사람의 믿음 또한 저절로 일어난다.

사람의 자리에서 일어나는 모든 앎을 온전히 앓아 보면,
좋고 싫은 '감각 감정 생각'과 언행이 저절로 일어나고

의식인 마음으로 이 모든 '알 수 있는' 대상을 보고 있으며, 현상의 바탕인 '알 수 없는' 몸도 확인하게 된다.

마음이 좋아하고 싫어하는 힘에 이끌리면,
현실의 말과 행동으로 표출하거나 억누르거나 외면하게 된다.

마음이
생각을 따라가지 말고,
생각과 짝이 되어 일어나는, 감정이 좋아하고 싫어하는 대로
상상 속 말과 행동으로 흘러가도록 온전히 허락하기만 한다.

중요한 점은,
감정이 원하는 대로 생각이 펼쳐지게 놔둬야 한다는 것이다.

'몸 마음'이
정(精)의 감각과 신(神)의 생각 사이에서
정신(精神)을 차리고
생각을 따라가지 않고
기분(氣分)의 감정을 실제 감각으로 펼치지 않고
기분의 감정을 억누르지 않고

기분의 감정을 외면하지 않고

기분의 감정이 원하는 대로 생각으로 펼쳐지도록 허락한다.

'실제 감각과 생각 속 감각' 사이에

감정의 차이가 없음을 알게 되고

감각과 짝이 되어 일어나는 감정이 순리대로 흘러가고

감각과 감정이 현상의 꿈임을 알게 되고

감각과 감정이 펼쳐지는 바탕의 몸과 이 모두를 보고 있는 마음 또한 앎이라는 꿈의 구성 요소임을 알게 된다.

'앎을 일으키는 모름이 있다'라는 앎이 확연해지고

모든 앎을 허락하고 즐겨 보게 된다.

'사람의 모름을 믿고, 사람의 앎을 믿어 봄' 또한

저절로 일어나고.

사람의 앎은 모름의 놀이임이 저절로 분명해진다.

사람의 자리에서 앎과 모름이 음양의 동정으로 공존하고 있음을 저절로 보게 된다.

사람의 앎과 앎 속 모든 내용은 꿈이요.

꿈을 일으키는 실체는 모른다는 사실만 알 수 있을 뿐이다.

모름이 일으킨 앎의 궁극은
'앎과 모름'에 대한 믿음이다.

사람이라는 단위
중심과 전체 사이에서 변하는 앎이
허상이라고 말하는 이유는,
사람이 모르는 실상 속에는
아무 일 없이
앎이 그 모습 그대로
무진장(無盡藏) 들어있기 때문이다.
이 앎도 모름에서 저절로 전해오는 믿음이다.

사람의 '몸 마음'으로
'일 있는' 허상의 앎과
'일 없는' 실상의 모름을
하나의 믿음으로 아우른다.

사람의 자리에
앎과 모름이 뗄 수 없는 하나로
평등하게 공존한다.

공존(共存)

문득, 한 생각이 떠오른다. 생각과 감정이 동시에 일어나고 좋고 싫은 반응이 연이어 일어난다. 다시 생각과 감정이 이어지고 윤회한다. 대부분은 생각만을 따라가든지 생각과 짝이 되는 감정의 좋고 싫음을 따라가 현실의 말과 행동으로 옮기든지 감정과 생각을 억누르든지 아니면 지금의 생각과 감정을 피해 다른 쪽으로 생각을 펼치고 말과 행동으로 옮긴다. 모두 손을 대는 사람의 유위(有爲)다.

사람의 무위(無爲)는 공존이다. 이 모든 생각과 감정과 '좋고 싫고'와 생각 속 모든 말과 행동을 허락하고 일어나는 그대로 봐 봄이 무위다.

사람의 무위(無爲)는
다른 한쪽 판에서 다른 한쪽 판을 있는 그대로 봄이다.
세상은 세 판으로 이어져 있다.

앎이라는 셋째 판을

음양이라는 둘째 판의 운동으로
모름이라는 첫째 판이 일으키고 있다.

세 판이 하나로 있음을 도(道)라고 부른다.
세 판과 각 판의 모든 내용(內容)이 공존하고 있다.
사람의 자리에서 한 통으로 공존하고 있다.

이것도 저것도 그것도
지난 시간도 이 순간도 올 시간도
나도 너도 그도
사람의 앎과 앎 속 유위(有爲)와 무위(無爲)도
앎과 앎을 낳는 모름도
모두 옳다.

하나가 둘로 나뉘어
수없이 많은 자리에
수없이 다양한 단위의 중심을 만들며 돌아
셋의 앎을 그린다.

사람의 자리에서

모르는 하나가

'몸 마음' 둘로 나뉘어 돌아

셋이라는 중심에 새로운 하나인

좋고 싫은 '감각 감정 생각'과 언행을 그린다.

사람이라는 단위에서,

음양의 충분한 분화 이전인,

음양의 밀고 당기는 힘에 이끌려

마음이 '알 수 있는' 몸에 좋아하고 싫어하는 손을 대는

유위(有爲)와

음양의 충분한 분화 이후인,

음양의 밀고 당기는 힘에 이끌리지 않고

마음이 '알 수 있는' 몸을 좋고 싫은 그대로 허락하는

무위(無爲)가

공존한다.

사람의 유위(有爲)는 기분(氣分)의 감정이 정분(精分)의 물질계로 펼쳐지거나 억눌려지거나 외면당하는 아이의 역할이다.

사람의 무위(無爲)는 기분의 감정이 신분(神分)의 생각으로 자유롭게 펼쳐지는 어른의 역할이다.

사람의 유위(有爲)와 무위(無爲)는
음양의 '통합된 분화' 운동으로 저절로 일어난다.
인위(人爲) 또한 자연(自然)이다.
그렇기에 삶에는 유위(有爲)가 없다.
허상의 삶은 모두 말(道)장난이다.

사람의 자리에 모름의 유위와 앎의 무위가 공존한다.
앎의 모든 내용은 나지도 지지도 않고 무진장(無盡藏)의 실상
속에 그 모양 그대로 있다.

지금, 반응하는 감각과 떠오르는 생각과 울리는 감정에 좋고
싫은 힘이 이어져 말과 행동이 저절로 펼쳐지고 있음을 본다.
본질의 '몸 마음'으로 현상을 본다.

사람의 '몸 마음' 사이에
감각과 감정이 하나로 공존하며 돌아가고
'분노와 두려움, 기쁨과 슬픔'의 감정이 하나로 공존하고 있음
을 앓아 본다.

감정 속 좋아하고 싫어하는 힘이 하나의 음양임을 앓아 본다.

감각과 감정이라는 현상을 바라보는
사람이라는 단위 중심의 입장과 세상이라는 전체 입장이
하나의 음양으로 공존하고 있음을 앓아 본다.
사람의 중심에서는 좋아하고 싫어하는 힘이요
전체 세상에서는 밀고 당기는 힘임을 앓아 본다.
중심과 전체가 하나의 생명력임을 앓아 본다.

'앎 전부가 모름 속에 하나로 공존하고 있다.'라는 앎이
저절로 일어남을 본다.

실상의 모름과 허상의 앎이
하나의 음양으로 공존하고 있음을 앓아 본다.

사람의 앎이라는 '현상과 본질'이
사람이 모르는 실상이 일으킨 현실임을 알게 된다.

모름은 모르는 게 없고, 못 할 것이 없는 완전함이요
모름이 일으킨 불완전해 보이는 앎 또한 완전함임을 확인한다.

실상의 모름에 모두 내맡기고

허상의 앎 속 좋아하고 싫어하는 생명력을
온전히 앓아 간다.
'몸 마음'으로 현상을 앓아 본다.
하나가 둘로 나뉘어 펼치는 셋을 즐긴다.

하나가
스스로 욕심부리고
스스로 아파하며
돌고 돌아간다.

사람이 본래 영생임을 확인한다.

아이와 어른이
본질 위 현상으로는, 시공간 속 변화지만
실상으로는, 공존이다.
둘 다 옳다.

음과 양
앎과 모름
'알 수 있음'과 '알 수 없음'

좋고 싫음
시간과 공간
중심과 전체
사람과 세상
아이와 어른

둘을 하나와 셋이 아우르고
둘이 하나와 셋을 아우른다.

하나가 둘과 셋에 의(依)해 있고
둘이 하나와 셋에 의(依)해 있고
셋이 하나와 둘에 의(依)해 있고
하나와 둘과 셋이 한 통으로 있다.

안팎

눈을 감고 '나'의 내면 이야기를 들어본디.
기억과 상상의 감각이 일어나고 감정이 반응하고 다시 생각이
일어나고 감정이 반응하며 돌고 돌아간다. 모두 '나'의 '몸 마
음' 사이에서 저절로 펼쳐진다.

눈을 뜨고 '나'의 외면 이야기를 들어본다.
세상이 한눈에 들어오고 다양한 소리가 들려오고 냄새와 감촉
이 경험됨과 동시에 내면의 감정이 기억과 상상과 얽히고설키
면서 안팎이 동시에 돌아가고 말과 행동이 저절로 펼쳐진다.
안팎의 세상이 모두 '나'의 '몸 마음' 사이에서 저절로 펼쳐지
고 있다.

눈을 감고 안을 보든, 눈을 뜨고 밖을 보든,
앎의 세상이 '나'의 '몸 마음' 사이에서 저절로 펼쳐진다.
세상이 곧 '나'다.

사람이라는 음양 운동의 단위는 국한된 기운의 뭉침이다.

사람의 기운이 동(動)하면 앎이 일어나고 사람의 기운이 정(靜)하면 앎이 사라진다. 이 또한 극소 극대의 음양 운동이 연기하고 있다. 독립된 사람은 본래 없다.

사람이라는 단위의 '몸 마음'을 수없이 많은 하위 단위와 상위 단위의 운동이 하나로 연기하고 있다는 앎을 앓아 볼수록, 시작도 끝도 알 수 없는 우주라는 앎이 통으로 꿈이라는 사실이 선명해지고 꿈을 비추는 실상은 사람에겐 모름임을 알게 된다.

사람의 앎과 사람의 모름이 음양 운동으로 공존하는 지금은 말로는 드러낼 수 없는 신비다.

말도 드러낼 수 있는 사람의 앎 전부를 말로 드러내 볼수록 말로 드러낼 수 없는 신비가 저절로 풀어진다.

신계의 생각 속에서 맘껏 중얼거려 보고 감정이 하고 싶은 대로 맘껏 행동하고, 또 말하고 행동해 앓아 보기를 반복할수록 모든 의문이 풀어지고 허상의 앎 너머 모르는 실상의 존재가 확연해진다.

좋고 싫은 '감각 감정 생각'과 언행이

꼬리에 꼬리를 물고 돌아갈수록

사람의 몸과 마음이 떨어져 나가고

'몸 마음' 사이 앎이 선명해져 간다.

앎의 세상은

모르는 음양의

깜빡거림일 뿐이다.

하나의 음양이

떨어지고 들러붙기를 반복하며

정기신(精氣神) 셋을 놓고 있다.

하나의 모름 속에

둘의 음양 운동으로 펼쳐지는

셋의 중심 안팎의 앎이 무진장 들어 있다.

하나와 둘과 셋이 한 통으로 맞물려 돌아가고 있다.

눈 뜬 꿈

사람의 삶은 깨든 잠들 든 모두 꿈이다.

사람이 잠들어 꾸는 꿈이 있고
깨어서 꾸는 꿈이 있다.

잠들어 꾸는 꿈은 생각 속에서만 펼쳐진다. 기억과 상상의 잠
재의식과 무의식에서 전해오는 정보들이 펼쳐낸다.
깨어서 꾸는 꿈은 생각의 정보와 현실의 감각 정보가 함께 펼
쳐낸다. 물론, 잠 속 꿈에서도 현실의 감각이 영향을 미치지
않는 건 아니다.
두 꿈 모두 감정은 구별 없이 반응한다.

잠 속 꿈이 생각 속이기에 감정의 말과 행동도 생각으로만 펼
쳐지게 된다. 물론, 몽유병이나 잠꼬대 같은 상황이 있기도 하
지만, 생각 속에서만 감각과 감정이 돌고 돌아간다.

깨어서 꾸는 꿈속에는 현실의 감각과 생각의 감각이 동시에 작

용하고 그 사이에서 감정이 반응하면서 말과 행동이 현실의 감각으로 펼쳐지거나 생각으로 펼쳐지거나 참거나 외면하게 된다. 감정이 현실과 생각을 오가며 흘러가거나 막히게 된다.

생각은 꿈과 같다는 말에는 어느 정도 동의를 하겠지만, 현실의 감각이 꿈과 같다는 말에는 동의하기 힘들다.

지금 눈으로 보고 있는 시각은 빛이 사물에 반사되어 눈을 통해 들어와 말초 시신경과 중추신경이 반응한 결과물이다. 그러니까 우리가 보고 있는 사물은 몸에 비친 모습일 뿐이며 우리는 사물의 실재를 알 수 없다.

사람이라는 육체 또한 감각기관을 통해 인지한 모습일 뿐이며 우리는 육체의 실재를 알 수 없다.

결국, 현실의 감각은 실재가 아닌 몸이 반응한 정보에 지나지 않는다. 그러니까 현실의 감각과 생각 속 감각은 같다고 말할 수 있다. 꿈속 감각에 반응한 감정 또한 꿈속일 수밖에 없다.

사람이라는 단위의 좋고 싫은 '감각 감정 생각'과 선악과를 따러 가는 말과 행동이 수없이 많은 하위 단위와 상위 단위가 하나로 이어져 일어나고 있다. 그러니까, 독립된 사람은 존재하지 않으며 사람에게는 자유의지 또한 없다. 잠들고 잠에서 깨고, 태어나고 살다가 죽는 모두 게 저절로 펼쳐지는 꿈이다.

사람이 꿈이라는 사실을 알기 위해선 사람의 앎 전부를 그 모습 그대로 앓아 봐야 한다.

현실의 감각에 반응하여 생각의 정보와 감정이 연이어 일어나고 감정이 생각 속 말과 행동으로 일어나고 현실의 감각적 말과 행동으로 옮길지 생각 속에서 펼쳐지도록 놔둘지 억누를지 외면할지, 모두 사람의 '몸 마음' 사이에 저절로 비치는 꿈이다.

꿈이 일어나는 바탕의 몸과 몸 위에서 펼쳐지는 내용을 보고 있는 마음 또한 꿈이다. 꿈을 꾸는 그 무엇은 사람에겐 모름이다.

꿈속에 머물든 꿈속에서 벗어나든,
모든 사람은 음양의 법 앞에 평등하다.

꿈속에서 욕심부려 본 만큼 아픔이 일어나기에 공평하고
아파 본 만큼 꿈속에서 벗어나기에 공평하고
사람의 모든 앎이 꿈속 하상이기에 공평하고
실상은 사람에게는 모름이기에 공평하다.

'땅의 현실 속 감각과 하늘의 생각 속 감각' 사이에서
사람의 좋고 싫은 감정의 바람이 저절로 불어오고
감정이 원하는 대로 말과 행동이
땅으로 펼쳐지면 땅에 살게 되고
하늘로 펼쳐지면 하늘에 살게 된다.

꿈속인 줄 알지 못하고 괴로워할지, 꿈속임을 알고 즐길지
꿈을 일으키는 음양의 '통합된 분화' 작용으로 정해진다.

사람을 온전히 앓아 볼수록 몸과 마음이 떨어져 나가고
땅과 하늘 사이에서 펼쳐지는 '눈 뜬 꿈'을 즐겨 보게 된다.

땅에 맺힌 '나'의 한(恨)이
하늘로 풀어지는 신선놀음을 즐길수록
'나'는 꿈이라는 사실이 더욱 선명해진다.

꿈인 줄 알지 못하고 꾸는 꿈은
선악과를 따러 가는 힘겨운 날들이지만
꿈인 줄 알고 꾸는 꿈은
선악과를 즐겨 보는 날들이다.

선악과는 언제나 앎의 중심에서 울리는
영원한 생명나무의 열매다.

선악과를 즐겨 보면 볼수록
몸과 마음이 떨어져
하늘과 땅만큼 끝도 없이 자라
하늘과 땅 사이 모든 게 선명해지고
선명해지는 깨달음 또한 꿈속임을 알게 된다.

세상은 한 중심에서 나고 지는 것처럼 보이는 허상이지만
사람의 자리에
아는 세상을 비추고 있는
모르는 실상 세하는
무수한 앎이 나지고 지지도 않고 그대로 있는 무진장이다.

삶과 죽음은

국한된 중심에서 일어나는 앎의 한계이자

시작과 끝이 있어 보이는 허상이요

실상은 시작도 끝도 없는 영생이자 모름이다.

사람의 자리에

앎과 모름이 공존하기에

모르는 영생에 대한 앎이 일어날 수 있다.

아는 '나'는 허상의 꿈이요

꿈을 꾸는 실상의 '나'는 모름이기에,

모든 사람은 '지밖에 모른다.'

잠과 죽음

사람의 자리에서 볼 때,

세상은

'몸 마음'인 본질과

'몸 마음' 사이에서 나고 지는

'좋고 싫은 '감각 감정 생각'과 언행(言行)'이라는 현상으로

이루어져 있다.

사람의 자리에서 볼 때,

세계는 실상 세하가 사람의 자리에 허상 세상을 비추고 있다.

음양의 통합된 분화 작용으로 세상이 펼쳐지고 오므라든다.

세상은 앎이요 세하는 모름이다.

사람에게 잠과 죽음은 앎이 사라진 모름이지만,

잠과 죽음은 서로 다른 맥락이다.

하나의 음양이 분화하며 돌아

그 중심에 셋이라는 새로운 하나를 낳으면

셋의 자리에서

음양의 '통합된 분화'가 일어나며 셋이 성장한다.

사람이라는 셋의 자리

중심과 전체 사이에서 음양의 '통합된 분화' 운동이 일어날 때,

음양기운(陰陽氣運)이 상대적으로 중심으로 수렴되어 고요한 하나에 가까워지면 잠의 상태가 되고,

음양기운(陰陽氣運)이 상대적으로 전체로 발산되어 활발한 셋에 가까워지면 깸의 상태가 된다.

사람이라는 셋의 자리

사람의 단위 중심의 음양기운(陰陽氣運) 균형이 무너져

사람의 단위 '몸 마음'이 완전히 분화되어

사람의 단위 중심인, 셋이 흩어져

마음은 전체 세상의 양과 하나가 되고

몸은 전체 세상의 음과 하나가 되어

본래 하나로 돌아감이 죽음이요

사람의 단위 중심의 음양기운(陰陽氣運) 균형이 유지되어

사람의 단위 '몸 마음'이 완전히 분화되지 않아

사람의 단위 중심인, 셋을 유지함이 삶이다.

사람의 깸과 잠은

사람의 단위 음양기운이 셋을 유지하며

음양의 동정을 반복하여

'몸 마음'의 통합된 분화가 일어남이요

사람의 삶과 죽음은

전체 하나와 사람의 단위 음양기운 셋이

음양의 동정으로 '통합된 분화를' 반복함이다.

깸과 잠은

'셋'의 자리에서 일어나는 음양의 동정이요

삶과 죽음은

'하나'와 '셋' 사이에서 일어나는 음양의 동정이다.

세계(世界)는 음양의 동정으로

하나와 둘과 셋이 공존하고 있다.

사람이라는 단위, 셋의 자리

몸 위에 좋고 싫은 '감각 감정 생각'과 언행의 형태로 변하면
서 비치는 대상만 의식인 마음으로 알 수 있고, 그 외는 변하
지 않고 텅 비어 보이기에 마음으로 알 수 없는 대상이 된다.

사람의 의식으로 '알 수 있는' 대상을 사람의 의식으로 '알 수 없는' 대상에 비할 때, 사람의 의식으로 '알 수 있는' 대상은 거의 없다고 말할 수 있다.

사람에게 깸과 삶은 허상의 앎이 드러남일 뿐이요
사람에게 잠과 죽음은 허상의 앎이 드러나지 않음일 뿐이다.

사람에게 세상은
'알 수 있는' 대상과 '알 수 없는' 대상이
끊어짐 없이 하나로 연기(緣起)하지만
세상은 세하가 사람의 자리에 비추는 허상일 뿐이다.
그림자와 실체가 뗄 수 없는 하나이듯
사람이 아는 세상과 사람이 모르는 세하는 하나의 세계다.

하나가 둘을 통해 셋의 자리에 앎을 낳고
셋의 알이 둘을 통해 부화하여 하나의 모름으로 돌아간다.
하나와 둘과 셋이 공존한다.

왕(王)과 주(主)

하늘과 땅 사이에 사람이 태어났다.
하늘과 땅이 하나이듯 하늘과 땅과 사람도 하나다.

하늘과 땅과 사람
셋(三)이 하나로 통해(ㅣ) 있음을 아는 자는 왕(王)이다.

하늘과 땅과 사람이 본래 하나이듯
세상의 모든 사람은 본래 왕(王)이다.

사람의 삶은
자신이 본래 세상의 왕이라는 사실을
알아 가는 과정이다.

사람의 육체가 자기라고 믿고 살다 간 사람도 있고,
자신이 세상의 왕이라는 사실을 알고 영생하는 사람도 있다.

왕은 세상 전부를 무한한 사랑으로 품는 사람이다.

사람이 알 수 있는 세상은

자신의 좋고 싫은 '감각 감정 생각'과 언행(言行)밖에 없다.

'몸 마음' 사이에서 저절로 일어나는, 좋고 싫은 '감각 감정 생각'과 언행을 온전히 품는 자는 세상의 왕이다.

앎의 세상은 세상에 사는 사람 수만큼 존재한다.

사람이 아는 세상은 그 사람을 중심으로 돌아가는 오직 그 사람만 경험하는 세상이다. 그렇기에 모든 사람은 세상의 왕일 수밖에 없다.

道(도)는

사람의 땅에서 경험되는 감각을

사람의 중심에서 울리는 감정을

사람의 하늘에서 펼쳐지는 생각을

사람의 생명인 좋아하고 싫어하는 힘을

사람의 좋고 싫은 '감각 감정 생각'이 드러나는 말과 행동을

그 모습 그대로 품는 법을 앎아 가는 길(道)이다.

깨달음은

'몸 마음'과

'몸 마음' 사이

좋고 싫은 '감각 감정 생각'과 언행으로 이루어진 앎을

'나'라고 믿는 착각이 깨지고 닳아지는 과정이다.

가슴에서 울리는

좋아하고 싫어하는 생명력을

온전히 허락하여 울려 봐 본다.

감정이

땅의 감각적 말과 행동이 아닌

하늘의 생각 속 말과 행동으로 펼쳐진다.

모든 한(恨)이 사라질 때까지

주(主) 하나님을 믿고

'나'의 전부를 품어 기다려 본다.

사랑은 믿음이요

오랜 기다림이다.

아픔을 앓은 만큼 '몸 마음'이 떨어져 나가고

온 세상을 품고도 남을 만큼 성장한다.

왕이 되는 길에
시련과 고난이라는 축복만 있을 뿐이다.
태어나서 살고 죽는 육체에 남을지
삶과 죽음이 없음을 깨달아 세상의 왕으로 영생할지
왕(王) 위에 계신 하나님(ヽ)
주(主)에 달려있다.
왕(王)도 주(主)를 모르기에 믿을 수밖에 없다.

주(主) 나의 하나님을 사랑하고
내 몸을 그 모습 그대로 사랑하듯
내 이웃 또한 그 모습 그대로 사랑한다.
하나님이 사랑을 비추고 있다.
사랑 또한 허상이다.

사람의 자리에
허상의 王과 실상의 主가
하나의 음양(陰陽)으로 공존한다.
실상은 하나지만 허상은 사람 수만큼 만들어진다.

세상(世上)의 王과 세하(世下)의 主를
하나로 아우른 사람은
세계(世界)의 주인공(主人空)이다.

하나의 모름이
둘의 음양 법칙으로 낳은
셋의 앎이, 삶이, 사람이
허상이기에
세상을 즐길 수 있다.

즐김은 음양의 법에 따라 저절로 일어난다.

사람의 '몸 마음'으로
정(精)의 구속과 신(神)의 자유를
좋고 싫은 음양의 기(氣)로 아울러
主 하나님을 믿고 王의 삶을 즐긴다.

어쩔 수 없다

음양의 밀고 당기는 힘으로
사람의 자리에서 전체 감각과 중심의 감정이 뗄 수 없는 하나
로 맞물려 변하면서 돌아가기에 시공간이라는 현상이 일어난
다.

중심에서 전체로 향하는 밀고 당기는 힘
전체에서 중심으로 향하는 밀고 당기는 힘
네 방향의 힘이 육합(六合. 천지사방)으로 작용하여
여섯 가지의 기(氣)로 분화한다.
여섯 가지의 기가 음양으로 작용하며 돌아
중심에 다섯 운행(運行)을 일으키고
오운육기(五運六氣)가 수없이 다양하고 많은 중심과 중심의 단
위로 연기(緣起)하며 만물을 그려낸다.

여섯 가지의 감각과 네 방향의 좋고 싫은 감정이 운행하여 기
억이 쌓이고 시공간 속 분별과 판단의 언어와 육체적 욕망과
사회적 희망이 얽히고설키며 생각과 말과 행동이 저절로 일어

난다.

좋고 싫은 '감각 감정 생각'과 언행(言行)은
음양 운동이 일으킨
사람이라는 단위 중심에 비치는
앎의 현상일 뿐이다.

음양의 밀고 당기는 힘이
감정 속 '좋고 싫음'으로 드러난다.

기운의 차이로 운동이 일어나기에
삶은 '좋고 싫음'의 연속일 수밖에 없다.
사람의 '좋고 싫음'은 생명력이자 숙명이다.

어리고 젊은 시절에는 중심의 감정 속 '좋고 싫음'을 따라가
전체의 감각적 상황을 좇고 쫓으며 힘을 쓴다.

어른이 되면서 자연스럽게 힘이 빠지고 전체 감각에서 중심의
좋고 싫은 감정으로 눈길을 돌리게 된다.

힘을 빼고 중심의 감정이 좋아하고 싫어하는 대로 생각 속 말과 행동으로 흘러가도록 온전히 허락할 수 있게 된다.

어릴 때는
사람의 단위 음양인, '몸 마음'이 충분히 떨어지지 않고
중심의 힘이 넘쳐, 감각과 생각 사이에서, 정신(精神)을 차리지 못하기에
정(精)의 실제 말과 행동으로 감정을 펼쳐 업(業)을 짓고 보(報)를 받는다.

나이 들어 '몸 마음'이 충분히 떨어지고 중심의 힘도 떨어져 정신이 차려지고
신(神)의 생각 속 말과 행동으로 감정을 펼쳐 업보(業報)를 푼다.

음양 그 자체가 드러남이
사람의 '몸 마음'이다.

어릴 때는 음양의 분화 초기이기에
'몸 마음'의 구분이 명확하지 않고

'몸 마음' 사이
정(精)의 현실 속 감각과
신(神)의 생각 속 감각과
정과 신 사이 기(氣)의 감정의
차이를 잘 알지 못한다.

삶의 괴로움은
저절로 일어나는 감각과 생각의 괴리(乖離)로
저절로 불어오는 좋고 싫은 감정의 바람이다.
삶이 괴로운 건 어쩔 수 없는 음양의 법칙이다.

사람이 타고난 기질(氣質)이 모두 다르기에
사람과 사람, 사람과 환경 사이에서
음양의 밀고 당김이 다양한 모습으로 일어난다.

기운이 왕성한 어린 시절은 기운의 차이도 크고 모날 수밖에
없다. 수많은 모난 기운이 서로 부딪히며 깨지고 닳아져 둥글
둥글해져 간다.

깨지고 닳는 고난이 없이는

깨달음도 있을 수 없다.

깨지고 닳아지며 아파 보면
삶이 꿈임을 저절로 알게 된다.
이 깨달음 또한 꿈속 일임을 알게 된다.

깨달음은
깜깜하고 답답한 동굴 속 쑥과 마늘의 고통이요
거칠고 메마른 광야의 고독이요
생사를 넘나드는 설산의 고행이다.

아픔을 통해
중심의 이기(利己)에서 전체 자비(慈悲)로 성장하고
이기와 자비 사이 조화(調和)를 배우게 된다.

자비는 이기의 기쁨과 슬픔과 분노와 두려움과 함께함이요
자비는 이기의 욕심과 아픔과 함께함이요
자비는 이기의 좋고 싫음과 함께함이요
조화는 '이기와 자비'의 유위(有爲)를 아울러 무위(無爲)로 가는
길이다.

사람이 모르는 하나님이
사람의 '몸 마음'을 통해
사람의 자리, 중심의 이기와 전체 자비를 조화로 아울러
사람의 앎을 즐기고 있다.

모름은 무자비하다.
모름은, 앎의 만물을 짓고 부술 뿐, 이기와 자비 이전이다.
이기와 자비 또한, 모름이 낳은 앎이다.

사람이 '알 수 없는' 바탕의 몸에서 저절로 일어나는
사람이 '알 수 있는' 감각을 향한
사람의 감정이 좋아하고 싫어하는 대로
사람의 생각으로 펼쳐지는 모습 그대로
사람의 마음으로 손대지 않고 앓아 봄이
사랑이요 자비다.

'몸 마음' 사이에서 중심을 향한 전체 사랑이 저절로 일어나면,
정(精)의 감각을 향해
기(氣)의 밀고 당기며 싫어하고 좋아하는 감정이
신(神)의 생각 속에서 말과 행동으로 저절로 흘러가는

지금 여기 세상이 사람의 앎이자 꿈임을 알게 된다.

꿈은
하나와 둘과 셋으로
맞물려 돌아가는 한 통임을 저절로 알게 된다.

모르는 하나가
음양의 밀고 당기는 힘으로
'몸 마음' 둘 사이 중심의 셋에서
좋고 싫은 '감각 감정 생각'과 언행이 하나로 맞물려 돌아가는
앎을 짓고 부셔 보고 있다.

지어지고 부서지는 앎의 시공간과
짓고 부숨이 없는 모름의 무진장(無盡藏)이
사람의 자리에 하나로 있다.

깸과 삶이 일어나면 사라지는 모름과
잠과 죽음이 일어나면 사라지는 앎이
사람의 자리에 하나로 있다.

모름이

음양의 힘으로 펼치는

앎을

어찌할 수 없다.

어찌하려는 유위(有爲)도

어찌할 수 없음을 앎도

어찌하지 않는 무위(無爲)도

앎의 꿈속 성장 과정이요

음양의 '통합된 분화' 작용으로

모름에서 저절로 전해오는 소식이다.

스승과 제자

사랑과 자비라는 말이 있다.
'학문(學問)은 말을 알아가는 과정이다.'
선생님께서 말씀하셨다.

선각자(先覺者)의 교육(敎育)을 받고
훈련(訓練)하고 연습(練習)하여
삶 속에서 실천(實踐)한다.

교육과 훈련과 연습과 실천은
양방향을 오가며 일어난다.
반복 학습(學習)을 통해 앎이 성장하며
저절로 공부(工夫)가 되어 간다.

가르침을 펴는 선각을 스승이라고 말하고
가르침을 받는 후학을 제자라고 말한다.
세상에는 수많은 스승과 제자의 역할이 있다.

스승의 가르침 내용과 수준은 스승의 수만큼 다양하고
제자의 관심과 수준 또한 그 수만큼 다양하다.
인연(因緣) 따라 만나고 헤어지며
교학상장(敎學相長)을 반복한다.

스승과 제자
교육과 훈련과 연습과 실천
모두 하나가 펼치는 역할이고 과정이다.

하나가
둘로 나뉘어 돌아
새로운 하나인 셋을 낳고
셋을 앓아 하나를 알아간다.

하나와 둘과 셋이
'하나의 님'으로 맞물려 돌아간다.

사람의 몸에서 펼쳐지는
중심의 감정과 전체의 감각이
밀고 당기는 힘으로 돌아가는 시공간을

사람의 마음으로 온전히 앓아 봄이 사랑이다.

스승은 제자에 의(依)해 있고
제자는 스승에 의(依)해 있는
하나의 '몸 마음'이다.
꿈속이다.

꿈속
하나로 이어진 '몸 마음'으로
하나로 이어진 정기신(精氣神) 세 판에서
하나로 이어진 좋고 싫음을 즐기며
하나로 이어진 수없이 다양하고 많은
삶의 단위를 앓아 본다.

삶을 즐기는 지혜

앎의 세상에 나온 사람은 어쩔 수 없이 한 삶을 살게 된다.
좋든 싫든 살아가야 할 인생이다.
그러니까, 피할 수 없는 운명이다.

피할 수 없다면 즐기는 수밖에!
즐긴다는 건 두고 봄이다.
두고 본다는 건 좋은 건 좋아해 보고 싫은 건 싫어해 봄이다.
본다는 건 손대지 않음이요
손대지 않음은 허락이요
허락은 사랑이다.

사랑은 전체에서 중심을 바라봄이다.
세상 전체에서 사람 중심에서 일어나는 모든 앎을 허락 해 봄
이다.

사랑은 오랜 연습이 필요하다.
연습이라는 앎의 시간 또한,

모르는 하나님이 펼쳐낸다.

운명으로 펼쳐지는 삶의 내용은 바뀌지 않는다.
다만, 삶을 바라보는 자리가 사람의 중심에서 세상 전체로 저절로 바뀐다.

세상 전체에 서서
사람 중심의 감정을 온전히 느끼며
감정이 원하는 대로 전체 생각으로 펼쳐지게 허락하고
전체 생각 속에서 느껴지는 중심의 감정을 온전히 울려 본다.

세상에 선(善)한 감정은 현실의 말과 행동으로 표현되고,
세상에 악(惡)한 감정은 생각의 말과 행동으로 펼쳐진다.

좋고 싫은 '감각 감정 생각'과 언행이 하나로 맞물려
저절로 펼쳐지는 삶을
손대지 않고 즐겨 본다.

삶의 내용을 바꾸려는 사람 중심의 의도 또한 바꿀 수 없다.
알 수 있는 모든 대상에는 중심의 좋고 싫은 힘이 작용하기 때

문이다.

'앎이 모름에서 저절로 전해온다'라는 사실을 알게 되면
삶을 바꾸려는 욕심도 앓아 볼 수 있게 되고
생각 속에서 맘껏 욕심부리고 앓아 본 만큼
좋고 싫음에 손대는 욕심 또한 생명의 표현임을 알게 되고
앎의 삶이 꿈속 허상임을 알게 되고
허상이기에 즐길 수 있음을 알게 된다.

삶을 즐기는 '지혜의 앎' 또한
모름에서 저절로 전해온다.

사람의 '몸 마음'이
세상을 다 품고도 남을 만큼 성장하지 않으면
온전한 즐김도 일어나지 않음을 알게 되고
삶을 온전히 앓아 보는 즐김을 통해 성장하여
사람의 '몸 마음'이 세상의 '몸 마음'과 하나라는 앎이
저절로 전해오고
'몸 마음' 사이에서 저절로 나드는
만물을 향한 사랑이

저절로 일어난다.

사람이 알 수 있는 사랑 또한
사람이 모르는 하나님의 꿈이다.

사람이 모르는 실상과
사람이 아는 허상이
음양의 법으로 공존한다.

즐거운 기운(氣運)이
음양의 리(理)로 저절로 일어난다.

사람의 '몸 마음'으로
정(精)의 구속과 신(神)의 자유를
좋고 싫은 음양의 기(氣)로 아울러
모르는 하나님을 믿고 아는 삶을 즐긴다.

삶을 즐기는 지혜가 끝없이 자라고
'지혜의 성장'과 '아무 일 없음'을
하나로 아우르게 된다.

해인(海印)

사람은 자신을 포함한 세상의 실제 모습을 알 수 없다.
몸에 비친 세상을 마음으로 볼 수 있을 뿐이다.

실상(實相) 세하(世下)가
사람의 자리에
허상(虛像) 세상(世上)을 비추고 있다.

사람의 몸에 비친 세상은
좋고 싫은 '감각 감정 생각'과 언행(言行)이라는 현상이다.

'몸 마음'이라는 본질 속 현상은
진짜(眞者)가 아닌 사진(寫眞)이며
사진이 비치는 몸과 '사진과 몸'을 보고 있는 마음
모두 허상이다.

허상 속에서 상상을 일으켜 본다.
우주가 팽창하고 수많은 물질이 생기고 지구라는 행성에 45억여 년의 시간을 거쳐 인류가 탄생하고, 지금의 '나'라는 육체가 이렇게 있다.

물론, 과학자들의 견해다.

'나'의 육체는, 소립자에서 원자와 분자와 세포와 수없이 다양한 물질과 에너지까지, 알 수 없는 그 무엇의 국소적 한시적 뭉침이다.

물론, 과학자들의 견해다.

시간과 공간과 만물이 연기(緣起)하여 지금의 상상이 일어나고 있고, 이 앎의 시공간이 통으로 '나'의 '몸 마음' 안에 있다.

모든 앎이 통으로 꿈이다.

'나'는 꿈이다.

우주 창조와 소멸의 소립자에서 천체까지 모두 나의 몸에 비치는 꿈이요

지구의 탄생과 뭇 생명의 진화와 인류의 출현이 나의 몸에 비치는 꿈이요

'나'라는 육체와 가족과 사회와 국가와 인류의 역사가 나의 몸

에 비치는 꿈이요

세상의 극소(極小)와 극대(極大)가 연기(緣起)하는 국한된 사람의 좋고 싫은 '감각 감정 생각'과 언행(言行)이 나의 몸에 비치는 꿈이요

몸과 '몸 위에 비치는 모습을 보고 있는' 마음도 꿈이다.

'몸 마음'이라는, 변하지 않아 보이는 본질과

본질 속 하나의 중심에서 변해 보이는 현상이 꿈의 구조다.

어릴 때는 꿈인 줄 모르고 꿈꾸며 살게 되고

어른이 되면서 서서히 꿈을 앓아 보게 되고

꿈을 앓을수록 꿈꾸는 법을 터득하게 된다.

꿈꿔 보지 않으면 꿈을 제대로 알 수 없다.

저절로 꿈꿔지고 저절로 앓아지고 저절로 알게 된다.

헛된 꿈을 온전히 꿔 보면

꿈이 헛되지 않음을 알게 되고

하나로 꿰인, 세상이라는 놀이터를 알게 된다.

‘나’는 ‘너’와 ‘우리’에 의(依)해 있고
‘너’는 ‘나’와 ‘우리’에 의(依)해 있고
‘우리’는 ‘나’와 ‘너’에 의(依)해 있는
한통속 꿈이다.

해인(海印)의 지혜는
꿈을 즐기는 법을 앓아 가는 도(道)다.

사람이 모르는 부처가
사람이 아는 중생을 즐기고 있다.

사람의 자리에서
부처와 중생을
하나로 아우른다.

자포자기(自暴自棄)

사람으로 사는 동안은
좋고 싫은 일이 번갈아드는
시공간을 경험하게 된다.

좋은 일이 일어날 때는
세상을 다 가진 것처럼 만족하며 지내지만
싫은 일이 일어날 때는
세상을 등지고 모든 걸 포기(抛棄)하고 싶어진다.

그게 사람이다.

독립된 것처럼 보이는
사람이라는 앎의 단위는
모르는 하나님이 일으킨
그림자와 같은 세상 속
극히 작은 부분이다.

그러니,

앎의 사람은 실재하지 않는다.

사람 안에서 일어나는 모든 앎이 허상이다.

앎의 세상도

세상 속 '나'도

'나'의 좋아하고 싫어하는 욕심도

그 욕심의 대상도

모두 그림자와 같다.

그러니,

사람에게는 자유의지가 없다.

자유의지가 없으니

사람에게 잘잘못이 없다.

본래는 사람이 없다.

사람의 모든 앎은

사람이 모르는 하나님의 뜻이다.

하나의 음양 운동으로
새로운 하나인 셋의 자리에
사람의 앎과 사람의 모름이라는
사이 없는 사이가 벌어진다.

사람은 하나의 음양이 일으킨 그림자와 같고
사람의 앎 또한 음양의 '몸 마음' 사이에서 일어난다.
하지만, 허상의 그림자는 실상과 뗄 수 없는 하나다.

좌절하지 말고 포기하지 말고 자책하지 말고 힘을 내라!

사람 잡는 말이다.

좌절(挫折)하고 포기(抛棄)하고
자포자기(自暴自棄)의 사나움
또한
저절로 일어난다.

'나' 안에서 저절로 일어나는
좌절과 포기와 자포자기를

'나' 밖으로 표출하지 않고
그 모습과 그 울림 그대로
'나' 안에서 온전히 허락한다.

떨어짐이 아닌 자유낙하 후
바닥 아닌 바닥을 딛고
저절로 힘이 솟는다.

저절로 일어나는 그 힘은
사람 중심의 욕심과 세상 전체 사랑을 아우르는
조화로운 힘이다.

사람과 세상이 뗄 수 없는 하나이기 때문이다.
사람과 세상이 같은 말이다.

자포자기와 사랑이
하나요 평화요 조화요
꿈이다.

'알 수 없는' 사람의 몸 위에

저절로 비치는 '알 수 있는' 그림자를
'알 수 없는' 사람의 마음으로
'좋고 싫은 힘'에 이끌리지 않고
그냥 놔둬 본다.

이끌려 봄과 그냥 봄
모두 하나님의 일이다.

삶이라는 시공간 그림자를 통해서만
실체의 하나님이 있음을 알게 되고
허상과 실상을 아우르게 된다.

'지금 이대로 완전한 꿈이다.'라고
'하나님의 님'이 말한다.

무한성장

어른이 아이를 낳고
아이는 좋고 싫은 일을 겪으면서 어른이 되고
새로운 아이를 기른다.

하나님이 사람을 낳고
사람은 좋고 싫은 일을 겪으면서 하나님이 되고
다시 사람을 기른다.

무한한 하나님이 낳은
사람의 성장은 끝이 없다.

좋아하고 싫어하는 삶을 통하지 않고는
사람이 하나님임을 알지 못한다.

땅에서 보면 미완에서 완성으로 자람이지만
하늘에서 보면 지금 이대로 완전하다.

사람은 나고 살고 지는 것처럼 보이고
사람을 낳고 살리고 지우는 하나님은 영원한 것처럼 믿어진다.

보이는 모든 건
보이지 않는 하나님의 음양 법칙으로 이루어진다.
음양의 '통합된 분화' 작용으로 저절로 일어난다.

사람의 '몸 마음'이 분화되지 않은 시기는
몸과 마음의 차이가 선명하지 않기에
마음이 몸 위에 비치는 '감각 감정 생각'에
좋아하고 싫어하는 힘에 이끌려
현실의 '말과 행동'으로 손을 대면서
많은 사물(事物)을 이루며 지낸다.

욕심으로 손상되고
아픔으로 회복하며
'몸 마음'이 떨어져 나가는
성장이 저절로 일어난다.

사람의 '몸 마음'이 분화되어

몸과 마음의 차이가 선명해지면
마음이 몸 위에 비치는 '감각 감정 생각'에
좋아하고 싫어하는 힘에 이끌려
표출하거나 억누르거나 외면하는 손을 대지 않고
생각 속에서 '말과 행동'으로 펼쳐지도록 놓아둬 본다.

바탕의 몸과 그 위 그림자의 차이가 선명해지고
바탕과 그림자를 보고 있는 마음이 확연해지고
'몸 마음'과 그 사이 그림자를 일으키는 실체가 있음을 알게
된다.

앎이라는 '본질과 현상'의 실체는
깊은 잠과 죽음처럼 모름이라는 사실을 알게 되고
앎과 모름이 음양의 동정(動靜)으로 함께 있음을 알게 되고
앎과 모름이 '하나의 님'임을 알게 된다.

하나가 음양의 둘로 분화하여 셋의 앎을 낳고 있다.
하나와 둘과 셋이 '하나의 님'으로 공존한다.

사람의 자리에

음양이 동(動)하면 앎이 드러나고
음양이 정(靜)하면 앎이 사라지지만,
음양의 동정은 공존하고 있다.

하나님이
조화로운 음양 운동으로
창조한 앎 전부가
완전한 하나님의 화신(化身)이다.

하나님의 화신이 사람임을 알게 되면
하나님 앞에 동등한 앎을
온전히 앓아 보게 된다.

사랑은
사람 중심에서 보는 눈
세상 전체에서 보는 눈
두 눈을 통해 마음으로 앓아 봄이다.
앎의 '사람과 세상'이 한 몸이다.

사람의 마음으로

알 수 있는 '좋고 싫음'을 앓을수록 앎이 무한 성장한다.
'사람과 세상'의 마음이 하나다.

사람이 '나'인지 알고 삶을 힘들여 살다가
힘이 빠져 삶이 저절로 겪어지고
하나님을 알고 전부 내맡겨 삶을 즐긴다.
삶을 즐김이 끝없이 자란다.

하나님이 사람임을 확신하게 되고
하늘과 땅과 사람이 '하나의 님'임을 알게 된다.

하나님이
음양의 '몸 마음'으로
사람의 앎을 즐기고 있다.

사람의 좋고 싫은 앎은 나고 드는 것처럼 보이고
음양의 밀고 당기는 동정은 무한한 것처럼 믿어지지만,
이 또한
사람의 모름으로부터 전해오는 소식이요
꿈속 사람의 앎일 뿐이다.

'나'의 죽음

하나님이 '나'임을 아는 것이 '나'의 죽음이다.
하나님뿐임을 아는 것이 '나'의 죽음이다.
'나' 아님이 없음을 아는 것이 '나'의 죽음이다.

하나님이 '나'라는 진실이
머리에서 가슴으로 떨어져 온몸으로 울리게 되면,
'나'의 것도 없고
버릴 '나'도 없고
죽을 '나'도 없음을 알게 된다.

'나'의 죽음은
몸 위에 비치는 좋고 싫은 '감각 감정 생각'과 언행을 향한
마음의 동일시가 떨어져 나감이다.

'나'의 죽음은,
'몸 마음'과 좋고 싫은 '감각 감정 생각'과 언행으로 이루어진,
앎의 시공간이

모르는 하나님이 비추는 허상임을 앎이다.

하나님이
욕심부리고 아파하며
'몸과 마음'이 분화한다.

욕심부리지 않고 아프지 않으면
셋의 '나'가 익지 않는다.

'나'의 죽음은,
하나님의 유위(有爲)로 '나'의 유위가 끝나는,
무위(無爲)의 완성이다.

하나님이
사람의 몸 위에 비치는
좋고 싫은 '감각 감정 생각'과 언행을
사람의 마음으로 즐겨 봄이
'나'의 죽음이다.

'나'의 죽음은

음양의 '몸 마음'이
분화되고 통합되어
완전한 하나이면서 둘이 됨이요
셋의 '나'가 완성됨이다.

'나'의 죽음은
세상(世上)과 세하(世下)가
하나의 세계(世界)임을 확인함이다.

'나'의 죽음은
지금 이대로 완전함이 실천됨이다.

'나'의 죽음은
사람의 삶이 꿈임을 알고
사람의 꿈을 손대지 않고 꿈이다.

죽은 '나'의 모든 한(恨)이 풀어진다.
정(精)의 감각 속에서 이루지 못한 꿈이
신(神)의 생각 속에서 펼쳐진다.

기억 속 정(精)의 감각적 원수가 신(神)의 생각 속에서 분노의 말과 행동으로 처단된다.
기억 속 정의 감각적 잘못이 신의 생각 속에서 참회의 말과 행동으로 용서된다.
기억 속 정의 감각적 미련을 신의 생각 속에서 펼치며 감정을 만끽한다.

정(精)의 물질 감각과 신(神)의 생각 속 감각적 바람의 차이가 만들어 내는 기(氣)의 감정이 생각으로 펼쳐지는, 걱정이 신(神)의 생각 속에서 겪어진다.

생각의 전체 감각 속
중심에서 울리는 기의 감정이
그 울림 그대로 앓아진다.

온전히 기뻐하고 슬퍼하고 화나고 두려워 본다.

하나님이
하늘의 신계(神界)에서 펼치는
난리굿판으로

땅에 죽은 '나'의 모든 한을 풀어낸다.

하나님이
음양으로 밀고 당겨
한 통의 정기신(精氣神) 세 판으로 이루어진
수없이 많은 '나'를
그렸다 지운다.

사람이라는 자리에서
변하지 않아 보이기에 '알 수 없는', 몸 위로
변해 보이기에 '알 수 있는', 좋고 싫은 '감각 감정 생각'과 언
행이 비치고 사라지는 모습을
변하지 않을 것 같은, 마음으로 보고 있다.

사람의 '몸 마음' 또한
우주가 연기(緣起)하는
국한된 앎의 단위일 뿐,
독립된 '나'는 본래 없음을 앑아 본다.

가상의 셋(사람)이 아는, 둘의 삶과 죽음은

가상의 사람(셋)이 모르는, 하나의 놀이다.

가상의 셋에서 하나와 둘을 아우른다.

'하나의 님' 속

'나'는 나지도 죽지도 않고

그 모습 그대로 있음을 앓아 본다.

둘의 음양으로

셋의 시공간을 품은 하나가

한 통임을 앓아 본다.

'나'의 죽음은

죽은 '나'가 부활하여

'나'의 삶과 죽음이

뗄 수 없는 하나임을 확인함이다.

'나'의 죽음은

말이 안 된다.

모두, 말(道)장난이다.

삶이라는 꿈의 구조

사람이라는 자리에서 삶이 펼쳐진다.

사람은 우주라는 시공간 속 국소적이고 한시적인 위치를 점하고 있다.

위치는 중심이 있다는 말이고 중심이 생김과 동시에 상대적인 전체가 생긴다.

그러니까 사람이라는 삶은 세상 속 국한된 위치에서 그 중심과 전체 사이에서 펼쳐진다.

사람은 잠과 깸을 반복한다.

깨어 있는 동안은 앎의 세상이 등장한다.

꿈도 없는 깊은 잠에서는 앎이 사라진다.

앎은 사람의 중심과 전체 사이에서 펼쳐진다.

앎을 펼치는 실상은 깊은 잠처럼 모름이다.

모름에서 앎이 나고 들고 있다.

음양의 운동으로 중심과 전체가 생기고

음양의 운동이 '몸 마음'이라는 본질로 화(化)하고
본질 위 중심과 전체 사이에서 현상이 드러난다.
음양의 운동 그 자체는 사람에게는 모름이다.

사람의 단위 음양 운동이 정(靜)하면 깊은 잠이 되고
사람의 단위 음양 운동이 동(動)하면 깸이 된다.

운동의 중심으로 구심력이 일어나고
운동의 전체로 원심력이 일어난다.
구심력이 중력으로 원심력이 질량으로 드러난다.

운동이 동하면
'몸 마음'이 드러나고
'몸 마음' 속
중심과 전체 사이에
변해 보이기에 '알 수 있는' 현상이 그려진다.

중심의 구심력과 전체의 원심력이 그려내는 대상이
좋고 싫은 '감각 감정 생각'과 언행(言行)이다.

사람의 몸은 '알 수 없는' 전체 바탕이고

사람의 마음으로 바탕과 바탕 위 대상을 인지하지만,

인식은 하나의 '몸 마음' 사이 셋에서 일어난다.

좋고 싫은 힘은 중심과 전체에서 동시에 일어나는 음양의 밀고 당김이기에 사람 중심의 반응과 사람 전체의 반응이 동시에 작용하게 된다.

정확하게 말하면,

중심이 생기면서 중심 밖의 전체가 동시에 생긴다.

무수한 중심들의 밀고 당김으로 돌아가는데,

한 중심에서 볼 때 다른 중심들의 밀고 당김이 전체의 밀고 당김으로 작용한다.

중심의 밀고 당기는 힘과 전체의 밀고 당기는 힘이 육합(六合, 천지사방)으로 돌아가기에 시공간이 펼쳐진다.

그러니까 시공간은 세 판(상하, 전후, 좌우)이

한 통으로 작용한 결과물이다.

12방향의 전체 힘을 신(神)이라 하고

신의 운동을 기(氣)라 하고

운동의 중심을 정(精)이라 한다.

시공간 전체가 신(神)이고

시공간 속 중심이 있은 물질이 정(精)이고

시공간 속 각각의 중심과 전체 사이 운동력이 기(氣)다.

정기신 말은 셋이지만 끊어짐 없는 하나의 음양이다.

사람의 앎 속에서는

정(精)이 감각의 모양으로 드러나고

기(氣)가 감정의 울림으로 드러나고

신(神)이 생각의 상상으로 드러난다.

사람의 중심에서 보면

정의 감각이 공간 전체를 이루고

기의 감정이 공간 중심에서 일어나고

감각과 감정이 변하면서 신의 생각 속 시간이 일어나는 것처럼

보인다.

'감각 감정 생각'의 양상이 서로 다르게 드러나지만
밀고 당기는 작용으로 돌아가는 정기신(精氣神)이 하나이듯
좋고 싫은 '감각 감정 생각'도 하나로 맞물려 돌아간다.

음양이 밀고 당겨 '감각 감정 생각'이 일어나면
사람 중심의 밀고 당기는 힘이
'알 수 있는' 좋고 싫은 반응으로 일어나고
사람 전체의 밀고 당기는 힘이
'알 수 없는' 기운으로 일어난다.

사람의 마음이 중심과 전체 사이 힘의 균형에 이끌려 집착과
거부, 조작과 통제 등의 말과 행동이 일어나게 된다.
사람의 중심과 전체 세상 사이 힘의 편차가 그 사람이 타고난
기질(氣質)이다.

사람이 좋아하고 싫어하는 것은 중심의 감정이다.
감각과 생각에 짝이 되어 동시에 일어나는, 좋고 싫은 감정에
이끌려 감각적 상황과 생각에 손을 대며 살게 된다.

사람 중심의 감정은 이기적일 수밖에 없다.

중심의 밀고 당기는 힘이 이기심이다.

독립된 사람은 존재하지 않기에 사람에게는 자유의지가 없다.
타고난 기질(氣質)에 이끌려 살 수밖에 없다.

좋고 싫은 '감각 감정 생각'과 언행은
음양 운동이 비추는 몸 위 그림자다.

사람의 마음이 좋고 싫은 '감각 감정 생각'과 언행을 '나'라고
착각하고 있을 때는 삶이 꿈인 줄 모르지만,
사람이라는 '나'가 그림자에 불과하다는 사실을 알고 되면
삶이 꿈이라는 사실이 자명해진다.

사람의 단위 음양이 충분히 분화되면,
사람의 마음으로 사람의 몸을 보고 있음을 알게 되고
본질의 '몸 마음' 사이에서
모든 현상이 저절로 일어나고 사라짐을 보게 되고
사람의 '몸 마음' 또한 수많은 하위 단위와 세상의 음양이 하
나로 일으키는 허상이라는 사실을 알게 된다.

사람의 '몸 마음'이 더욱 분화되고,

'몸 마음'과 그사이 현상으로 이루어진,

앓을 일으키는 그 무엇은 사람에게는 모름이라는 사실을 알게
된다.

결국, 깨달음이라는 것도 꿈속 이야기일 뿐이다.

삶이라는 꿈은

하나의 죽음과

둘의 '몸 마음'과

셋의 삶 속 좋고 싫은 '감각 감정 생각'과 언행이

하나로 맞물려 돌아가고 있다.

사람의 앓이

사람이 모르는 음양 운동으로

저절로 펼쳐지고 있다.

사람의 앎을 앓을수록

사람의 모름이 선명해진다.

앎과 모름이 하나의 음양으로 공존하기 때문이다.

이 앎이
머리에서 가슴으로
가슴에서 머리로
양방향으로 앓아지고
몸 전체로 앓아진다.
이 몸에서 벗어날 수 없다.

좋고 싫은 이 몸을 어찌할 수 없다.
좋고 싫은 이 몸과 몸을 보는 마음이 앎의 세상 전부다.

좋고 싫은 삶을 앓아 보는 이 고해의 꿈에서
죽음 외에는 벗어날 방법이 없다.

살고 싶은 욕심과
죽고 싶은 욕심이
하나로 공존하는 이 꿈을
어찌할 수가 없다.

시공간이라는 꿈속에서
공간을 경험하고 느끼고 아파 보는

기다림의 시간이 야속하게 지나간다.
한 치 앞도 모르는 삶이 저절로 펼쳐진다.

사람이 모르는 하나님을 믿고
사람이 아는 만물 만상의 삶을
중심의 이기(利己)와 전체의 자비(慈悲) 사이 균형을 잡고
둘을 조화(調和)로 아울러
그냥 꿈꿔 볼 수밖에 없다.

사람의 '몸 마음' 사이에서
좋고 싫은 '감각 감정 생각'과 언행이
하나로 맞물려 돌고 돌아가는 꿈과
꿈을 꾸는 '아무 일 없음'이
'하나의 님'으로 공존한다.

우리는
사람을 꿈꾸는
부처요 하나님이요 한울님이다.

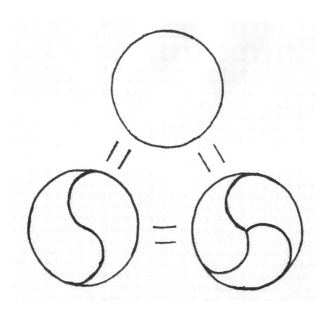

죽음 ⇔ **사람** ⇔ 삶

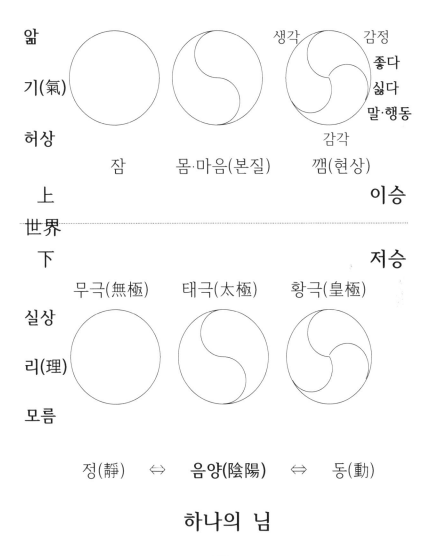

하나의 님

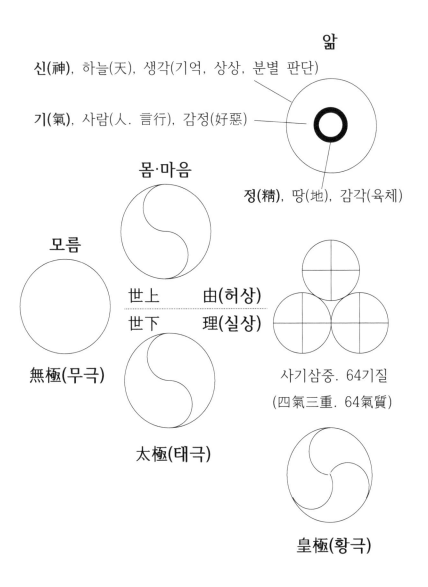

앎

신(神), 하늘(天), 생각(기억, 상상, 분별 판단)

기(氣), 사람(人. 言行), 감정(好惡)

정(精), 땅(地), 감각(육체)

몸·마음

모름

世上　　由(허상)
世下　　理(실상)

無極(무극)

사기삼중. 64기질
(四氣三重. 64氣質)

太極(태극)

皇極(황극)

靜(고요함, 하나)⇔陰陽(음양, 둘)⇔動(움직임, 셋)

道生一 一生二 二生三 三生萬物

萬物負陰而抱陽 中氣以爲和

- 도덕경 42장. 마왕퇴 갑본. 노자

도(道)가 하나를 낳고

하나가 둘을 낳고

둘(하나와 둘)이 셋을 낳고

셋(하나와 둘과 셋)이 만물을 낳는다.

만물은

음(陰)과 양(陽)이

서로를 지고 안아

한 중심으로 돌아가는

조화로운 기운이다.

내가 만약 깨닫는다면

한 중심에서 변하는 감각과 감정을 '나'라고 믿고 사는 사람은 시공간 속에 살고 있다고 착각하게 되고, 기억과 상상의 감각 속에서도 '좋고 싫은' 감정을 경험하게 된다.

시공간이라는 얇은
음양 운동이
사람 몸 위에 비추는
중심과 전체라는 그림자를
사람의 마음으로 보는 것이요
사람의 자리에서 일어나는 허상이다.

전체 깨달음을 향한
사람 중심의 바람은
시공간 속에서
저절로 일어나는 꿈이다.

사람이라는 '나'가 깨달아서

경험하고 싶은 감각과 감정을
생각 속에서 맘껏 그려서 누려 본다.

맘껏 그리고 누리다 보면,
이 상상의 재료는 기억임을 알게 되고
기억 속 풀지 못한 한(恨)을 만나게 된다.

한 맺힌 감정이 하고픈 대로
생각 속에서 맘껏 그려서 풀어 본다.

생각의 시공간 속에서
감정이 좋아하고 싫어하는 대로
감각을 그리며 놀다 보면 저절로 알게 된다.

시공간과
시공간 속 세상과
세상 속 사람이라는 '나'가
모두 꿈임을 깨닫는다.

'몸 마음'이라는 본질 속에서

좋고 싫은 '감각 감정 생각'과 언행이라는 현상이
저절로 나고 지고 있음을 보게 된다.

본질과 현상으로 이루어진 사람의 앎이 허상이요
앎을 일으키는 실상은 사람에게는 모름임을 깨닫는다.

사람의 '깨달음을 향한 기대'라는 앎과
사람의 '깨달음'이라는 앎 모두 꿈속이다.

사람이 모르는 전체 하나의 문을 여는 '깨달음 열쇠'는
사람이 아는 중심 셋의 '좋고 싫은 감정'임을 알게 된다.
전체 하나는 중심의 셋과 뗄 수 없는 음양이기 때문이다.

사람 중심의 감정이
좋아하고 싫어하는 대로
사람 전체의 생각으로 펼쳐 울려 보면
사람이 꿈임을 깨닫는다.

앎이 삶이 곧,
깨지고 닳아지는,

깨달음이다.

사람이 '모르는' 하나가
음양의 둘로 나뉘어 돌아
셋의 '사람이라는 중심' 자리에서
사람의 '앎'을 꿈꾸며 놀고 있다.

사람의 자리에
하나와 둘과 셋이
함께 있다.

궁극의 깨달음은
모든 앎이 깨지고 닳아진
'모름'이다.

앎이라는 깨달음은
모름 속에서 펼쳐지는
자유낙하의 삶이요
음양의 법칙으로 펼쳐지는
놀이다.

깜빡

눈을 감고 안을 본다.

눈을 감아도 기억 속 시각과 청각의 정보가 깜깜하고 고요한 전체 바탕 위에서 펼쳐지고 감정이 그 중심에서 울린다. 후각과 미각과 촉각의 정보가 곳곳에서 나타나고 사라지고 현재의 내부감각과 기억 속 내부감각의 정보도 들락거리며 좋고 싫은 감정과 어울린다.

이 모든 상황을 분별하고 판단하고 중계하는 말이 들려오며 생각 속 감각과 감정과 말이 윤회한다.

눈 감은 깜깜한 세상 위
형형색색의 앎이
'몸 마음' 사이에서 저절로 펼쳐짐을 본다.

눈을 뜨고 밖을 본다.

밖의 오감의 정보가 반응하고 안의 육감과 기억의 감각 정보가 동시에 일어나면서 전체 감각 세상이 펼쳐지고 중심에서 좋고 싫은 감정이 울리며 분별과 판단과 중계의 말이 어우러진다.
좋고 싫은 '감각 감정 생각'을 따라가 말이 입 밖으로 저절로
나가고 손발의 동작이 저절로 펼쳐진다.

눈 뜬 밝은 세상 위
만물 만상이
'몸 마음' 사이에서 저절로 펼쳐짐을 본다.

눈을 감으면 세상이 사람 속에 있고
눈을 뜨면 세상 속에 사람이 있다.
눈을 감으나 뜨나 사람과 세상이 하나다.

눈을 감고 안을 보든
눈을 뜨고 밖을 보든
좋고 싫은 '감각 감정 생각'과 언행이
사람의 '중심과 전체' 사이에서 펼쳐질 뿐
깜깜하고 밝은 앎의 세상 전부가 '몸 마음' 안에 있다.

눈을 감아 보면 신(神)의 세상 전체 입장으로 치우치게 되고
눈을 떠 보면 정(精)의 사람 중심 입장으로 치우치게 된다.

정(精)과 신(神) 사이의 균형이 잡히면
정(精)의 감각과 신(神)의 감각 차이를 선명하게 구분하게 된
다.

마음으로
정신(精神) 차리고
몸에서 전해오는
기분(氣分)의 감정을
지혜롭게 허락하여
말과 행동으로 소통하게 된다.

좋고 싶은 '감각 감정 생각'과 언행을
경험해 보고 느껴 보고 봐 보고
선악과를 따러 감을 알아차려 볼수록
눈을 깜빡이며 보는
안팎의 세상 전부
'몸 마음' 사이에서
저절로 펼쳐지는
꿈이라는 사실이 선명해진다.

깜빡 깊은 잠이 들면
앎의 꿈이 사라진다.

앎의 '몸 마음'을 모름이 비추고 있다.
앎의 한 삶이 모름의 한 깜빡임이다.
모름 속에서 앎이 깜빡거린다.

소통(疏通)

수많은 의서(醫書)에서 가장 중요한 글자는 疏(트일 소)다.

죽은 사람을 위해 부처님께 疏를 쓰고
임금과 소통하는 疏를 쓰고
어려운 경전을 풀이하는 疏를 쓴다.
그리고 아픈 사람에게 소통(疏通)의 침(鍼)과 약(藥)을 쓴다.

우(禹)임금이 치수(治水)에 疏를 썼듯
순리는 막는 것이 아닌 소통이다.

막을 만큼 막아 보다
지쳐 힘이 빠지고
저절로 놓아버리게 된다.

선지자(先知者)의 조언이 들리지 않는 건
아직 욕심이 남아있기 때문이다.

사람의 질병(疾病)은 질병(窒甁. 한쪽이 막힌 그릇)과 같아서 기운이 흐르지 못하는 상태다.

사람은 한 단위의 기운 덩어리다.
막힘없이 흘러가야 한다.
삶 속 욕심을 따라가 기운이 정체되고
다시 소통될 때 치유반응인 아픔이 일어난다.

사람은 생존과 번식을 위해 욕심을 부릴 수밖에 없다.
욕심도 막으면 안 되고 아픔도 막으면 안 된다.

힘이 넘치는 어린 시절, 감각의 물질계로 향하던 감정의 욕심이 서서히 힘이 빠지고 자연스럽게 생각으로 흘러가게 된다.
선악과를 따러 가다 멈추고, 선악과를 즐겨 보기까지는 오랜 시련이 필요하다.

고인 기운이 흐르기 위해 뚫는 아픔이 일어 날 수밖에 없다.
한(恨)풀이는 난리굿일 수밖에 없다.
삶 속 욕심부린 양과 아픔의 양은 같다.
아픈 만큼 몸과 마음이 떨어져 나가며 성숙한다.

욕심이 저절로 일어나고, 좋고 싫음을 저절로 따라 가고
손이 저절로 내려지고, 소통의 아픔이 저절로 일어난다.
저절로 욕심이 허락되고 저절로 아픔이 허락된다.

사람이 아는 삶 속 막음도 소통도
사람이 모르는 하나님의 일이요
삶이 통으로 무위자연(無爲自然)이다.

앎의 좋고 싫은 하늘과 땅과 사람을
모르는 하나님이 펼치고 거둔다.

하나님이
음양의 둘로 나뉘어 돌아
셋의 중심에, 좋고 싫은 앎이라는
시공간을 그리며 놀다가
하나로 돌아간다.

사람의 몸과 마음 사이
그 중심에서 펼쳐지는
좋고 싫은 '감각 감정 생각'과 언행이

시공간이라는 앎이자 꿈이자 허상이다.

사람의 앎이 드러나는 삶과

사람의 앎이 사라진 죽음이

끊임없이 소통하는 하나의 생명이다.

좋고 싫은 앎의 삶과

앎이 사라진 죽음을

하나로 소통(疏通)하는

영생의 침(鍼)을

사람에게 놓는다.

사람이

음양의 법으로

정(精)과 신(神)을

안과 밖을

중심과 전체를

삶과 죽음을

앎과 모름을

소통한다.

선생님께서 말씀하셨다.

'침(鍼) 들고 득도해탈(得道解脫) 못하면 바보 등신이다.'

침을 놓는 사람도 없고
침을 맞는 사람도 없다.
의자(醫者)도 환자(患者)도 없다.
셋의 둘이 하나로 있다.

우리는 무한한 소통이요
본래 의왕(醫王)이다.

모르는 실상의 부처가
아는 허상의 병과 약을 짓고 있다.

소통은 아우름이다.
사람이라는 가상의 중심에서
앎과 모름을 아우른다.

만병통치약

만병통치약이 있다.
본래 병이 없음을 앎이 만병통치약이다.

본래 병이 없다는 사실을 알기 위해선
아픔으로 들어가 온전히 앓아 봐야 한다.

증상을 앓음과 동시에 싫어하는 힘도 앓아봐 줘야 한다.
싫은 그 아픔이 곧 치유이기 때문이다.
아픈 감각을 경험하면서 싫은 감정이 하고픈 대로 생각 속으로
펼쳐지게 놓아둔다.

삶 속
좋아하는 사물(事物)에 손을 댐으로써 손상되고
싫어하는 사물을, 손을 내려, 온전히 앓아 봄으로써 회복된다.
좋고 싫음이 하나의 욕심이다.

음양이 동시에 밀고 당겨서 그 중심에 앎을 일으킨다.

음양의 밀고 당김이 사람의 중심에서는 좋고 싫은 힘으로 드러
난다.

좋고 싫음은 뗄 수 없는 하나의 생명력이다.
좋음의 뒷면에는 반드시 싫음이 있고
싫음의 뒷면에는 반드시 좋음이 있다.
좋음이 없으면 싫음도 없고
싫음이 없으면 좋음도 없다.

좋음에 이끌려 집착하지 않고 싫음에 떠밀려 거부하지 않으면
좋고 싫음은 생명의 실상이 그려낸 허상이라는 사실을 알게 된
다.

좋고 싫음을 아울러 허락함이 사랑이다.
좋음에 이끌림도 허락하고 싫음에 떠밀림도 허락한다.

허상의 앎과 실상의 모름이 뗄 수 없는 하나다.

모름을 믿고
앎의 삶 속 신계(神界)에서

맘껏 좋아해 보고 맘껏 싫어해 본다.

정(精)의 감각에 반응한 기(氣)의 감정이
순리대로
신(神)의 생각으로 흘러간다.
꿈속이라는 사실이 선명해진다.

사람이 허상인데 하물며 병은 말해 무엇하랴.
환자나 의자나 모두 꿈속 역할일 뿐이다.

단번에 깨달을 수 있는 약이 있다.
깨달음이 허상임을 앎이 그 약이다.

깨달음이 허상이라는 사실을 알기 위해선
깨달으려는 그 욕심 안으로 들어가 보면 된다.

깨달음을 향한 욕심이
깨달음으로 이끌기 때문이다.

깨닫고자 하는 욕심으로 아픔이 일어나고

그 아픔으로 깨달음이 무엇인지 알게 된다.

괴로운 현실을 벗어나 깨달은 곳으로 가려는 욕심을
따라가지도 말고, 억누르지도 말고, 외면하지도 말고,
괴로운 감정이 하고픈 대로 생각 속에서 말하고 움직이도록 온
전히 허락해 본다.

감정이 생각으로 저절로 소통되고
감정과 생각이 일어나는 바탕의 몸을 보게 되고
보고 있는 마음을 자각하게 된다.

현실 감각과 좋고 싫은 감정과 생각이
'몸 마음' 사이에서 저절로 나들고 있는 허상임을 보게 되고
'몸 마음' 또한 허상임을 알게 되고,
'변하지 않아 보이는' 본질의 '몸 마음'과
'변해 보이는' 현상의 좋고 싫은 '감각 감정 생각'과 언행으로
이루어진, 허상의 앎을 일으키는
실상은 모름이라는 사실을 깨닫는다.

'이 깨달음 또한 허상의 앎이다'라는 앎이 일어나고

허상의 앎을 온전히 앓지 않고는
실상의 모름을 깨달을 수 없음을 알게 되고
사람의 자리에 앎과 앎을 낳는 모름이
하나의 진리로 공존하고 있음을 알게 된다.

모든 앎이 허상인데 깨달음은 말해 무엇하랴.
깨닫지 못한 자나 깨달은 자나 꿈속 역할일 뿐이다.

깨닫지 못한 자의 역할에서
깨달은 자의 역할로 옮겨 갈 뿐,
사람이 모르는 하나님이
음양의 법칙으로 펼치는
사람의 앎이라는 놀이다.

아는 게 병이요 모르는 게 약이요
병과 약은 뗄 수 없는 하나다.

사람이 앎과 모름을 하나로 아우른다.
'모른다는 앎'이 만병통치약이다.

삼신일불(三身一佛), 삼위일체(三位一體)

보신(報身). 둘, 몸과 마음으로

법신(法身). 하나, 모름을 믿고 내맡겨

화신(化身). 셋, 좋고 싫은 '감각 감정 생각'과 언행(言行)의 앎을 믿고 온전히 앓아 본다.

삼신(三身)이 하나의 부처다.

성령(聖靈). 둘. 몸과 마음으로

성부(聖父). 하나. 모름을 믿고 내맡겨

성자(聖子). 셋. 좋고 싫은 '감각 감정 생각'과 언행(言行)의 앎을 믿고 온전히 앓아 본다.

삼위(三位)가 하나의 님이다.

태극(太極)의 동정(動靜)으로

무극(無極)과 황극(皇極)이 하나로 있다.

음양 기(氣)의 운행(運行)으로

중심의 정(精)과 전체의 신(神)이 하나로 있다.

머리의 생각과

가슴의 감정과

전체 감각이

사람이라는 한 단위의 앎이다.

감각에 반응한

감정이 원하는 대로

생각 속에서 말과 행동으로 펼쳐지고

머리와 가슴과 전체 세상이 하나임을 알게 되고

사람의 앎이 곧 세상임을 확인한다.

하나의 실상 세하(世下)가

음양의 법칙으로

무수히 많고 다양한 허상 세상(世上)을 비추고 있다.

세상과 세하가 한 세계(世界)다.

아이가 태어나

욕심부리고 아파하며 자라

이기(利己)와 자비(慈悲)를 조화(調和)로 아우르는 어른이 된다.

세상 전체 감각에

사람 중심 감정이 일어나고

선(善)한 욕심의 말과 행동은 전체 세상 속으로 흘러가고

악(惡)한 욕심의 말과 행동은 생각 속으로 흘러가는

아무 일도 없는 신선(神仙)의 삶이 펼쳐진다.

사람의 자리에서

모름이 앎을 즐긴다.

'모름과 사람과 앎'이 한울님이다.

우리는

음양의 동정으로

모르는 저승과 아는 이승이 공존하며

삼세판으로 펼쳐 돌아가는

삼판양승의 씨름이다.

관찰(觀察)

마음으로 '나'라고 믿고 있는 '알 수 있는' 몸을 본다.
감각이 전체 공간을 이루고 있고
중심에서 좋고 싫은 감정이 울린다.
감각과 감정이 뗄 수 없는 한 짝으로 작용하여 공간이 만들어지고 있음을 알 수 있다.

감각과 감정이 변하면서,
그 정보가 기억되고 기억을 바탕으로 상상이 되고 이 모두를 분별 판단하고 언어로 정의하고 잡아두는,
생각이 펼쳐지며
시간이 만들어지고 있음을 알 수 있다.

시공간 속에서
현실의 전체 감각적 상황과 생각의 전체 감각적 상황 사이 괴리(乖離)로 중심에서 괴로운 감정이 저절로 일어나고 있음을 알 수 있다.

그리고, 중심의 감정은 현실의 전체 감각과 생각의 전체 감각을 구분하지 않고 좋고 싫은 반응이 일어남을 알게 된다.

변해 보이기에 '알 수 있는' 시공간이
변하지 않아 보이기에 '알 수 없는' 바탕의 몸 위에서 펼쳐지고 있고,
시공간과 바탕의 몸을 보고 있는 마음이 있음을 알 수 있다.

몸과 마음은 둘이면서 하나로 있음을 알 수 있고,
'몸 마음' 사이에 좋고 싫은 '감각 감정 생각'이 저절로 나고 들고 있음을 볼 수 있고,
실제의 말과 행동도 '몸 마음' 사이에서 저절로 일어나고 있음을 알 수 있다.

마음이 좋고 싫은 '감각 감정 생각'을 '나'라고 착각하고 있었음도 알게 되고, 마음이 텅 비어 보이는 바탕의 몸을 '나'라고 착각하고 있었음도 알게 된다.

의식인 마음으로
사람 중심의 관점과 전체 바탕의 관점

두 눈을 통해
대상인 몸을 보고 있음을 알게 된다.

중심의 좋고 싫은 감정의 힘이 강하게 일어나면, 마음이 그 중력(重力)에 이끌려 시공간 속 사람의 몸과 동일시되고
중심의 좋고 싫은 감정의 힘이 약해지면, 마음이 시공간을 품은 전체 바탕의 몸과 동일시되고 있음을 알게 된다.

마음으로 지옥과 천국을 수없이 반복해서 오고 가고 있음을 알게 되고, 지옥과 천국이 같은 자리라는 사실도 알게 된다.
그렇게 '몸 마음'이 떨어져 나가고 있음을 보게 된다.

'몸 마음'과 그 사이에서 현상이 일어나며 앎이 드러나지만, 깊이 잠들면 이 앎 자체가 사라진다. 그러니까 앎을 일으키는 그 무엇이 있다는 사실을 알게 된다.

앎의 대상을 관찰 해 보면, '감각 감정 생각' 이외의 정보는 알 수 없다는 사실을 알게 된다. 인체 내부의 세포 이하 단위에서 일어나는 반응과 세포와 조직과 기관에서 일어나는 반응은 알 수 없지만, 알 수 없는 반응이 일어나고 있다는 사실은 알 수

있다.

사람의 눈은 가시광선에만 반응하고 귀는 가청영역의 공기 진동에만 반응하고 후각과 미각과 촉각과 내부감각도 반응하는 한계가 있다. 사람이 알아보고 있는 건 몸의 반응일 뿐이다.

사람의 몸에서 '알 수 있는' 앎이라는 현상으로 드러나는 부분은 세상에서 극히 작은 일부에 지나지 않음을 알 수 있다.

현상이라는 앎은 실재가 아니요
수많은 하위 단위와 세상 전체가 연기(緣起)하여
사람이라는 단위에 일어나는 반응일 뿐임을 알게 된다.
마음이 사람이라는 단위의 '알 수 있는' 앎의 대상을 '나'라고
착각하고 있었을 뿐,
'나'는 본래 없음을 알게 된다.

사람의 자리에서는
사람의 마음과 사람 몸의 실상을 알 수 없다.

사람의 '몸 마음'이라는 본질과

'몸 마음' 사이 중심에 현상을 일으키는
실상은, 시공간 속 사람의 앎이 아닌, 모름이다.

앎을 일으키는, 모르는 실상에 대한 앎은
증명할 수 없는 믿음이자 이론이자
모르는 실상에서 아는 허상으로 전해오는 소식이다.

사람의 자리에서 보면,
모르는 실상에 대한 앎은 하염(何念)없는 기다림이다.

'삶 속 현상은 꿈이든 깸이든 모두 허상이다'라는 앎도,
하염없이 기다려 알게 되는,
모름에서 저절로 전해온다.

앎이라는 허상에서 벗어나는 방법은 없다.
아는 허상과 모르는 실상이 뗄 수 없는 하나이기 때문이다.
삶이 허상임을 알고 꿈꾸듯 즐길 수밖에 없다.

즐긴다는 건
모름을 믿고 앎을 믿어 온전히 앓아 봄이다.

'몸 마음' 사이에서 펼쳐지는 좋고 싫은 앎의 대상을
좋은 건 좋은 대로 두고 보고
싫은 건 싫은 대로 두고 본다.

사람이 아는
좋고 싫은 '감각 감정 생각'도
좋고 싫은 대상에 손을 대는 것도
좋고 싫은 대상을 두고 봄도
안팎으로 일어나는 말과 행동도
'몸 마음'의 자각도
사람을 낳는, 사람이 모르는, 하나님의 일이다.

하나님이
하나님이 비추는 '몸 마음'으로
사람 전체 감각을 경험해 보고
그 감각에 반응한 사람 중심의 좋고 싫은 감정을 울려 보고
말해 보고 움직여 보고 있다.

감각과 감정은 사람이라는 자리에서만 즐길 수 있는 현상이다.
이 즐거움을 사람이 헤아릴 수 없는 세상이 연기(緣起)하고 있

고, 이 신비로운 세상을 모르는 세하가 비추고 있다.

사람이라는 단위 중심에서 일어나는
찰나의 꿈을 즐기려
전체와 영겁이 연기(緣起)한다.

이 얼마나 진귀한 꿈이란 말인가!
그러니 하나도 빠짐없이 즐겨야지 않겠나!
즐김, 또한 하나님의 일이다.

지금은
중심과 전체와 찰나와 영겁이 함께 있다.
사람의 앎과 사람의 모름이 하나의 음양으로 함께 있다.
하나와 둘과 셋이 함께 있다.

셋의 중심에
좋고 싫은 '감각 감정 생각'과 언행이 나고 들고 있음을
'몸 마음' 둘을 통해 즐겨 보다가
하나의 모름으로 돌아가고
다시 둘을 통해 셋의 앎을 낳는다.

음양이 고요하면 하나로 있다가
움직이면 셋을 그린다.
음양의 무한 동정(動靜)이다.

사람의, '몸 마음' 둘로
사람의, 모르는 하나를 믿고
사람의, 변화무상한 앎의 셋을 관찰하며 즐긴다.

앎의 내용이 고요하지 않은 건
음양이 동(動)하기 때문이요
앎의 자각이 고요한 건
음양이 정(精)하기 때문이요
활발한 앎의 내용과 고요한 앎의 자각이 공존하는 건
음양의 동정이 공존하기 때문이다.

욕심부리고 아프고 멈추고 관찰하고 믿고 즐기는 앎이
저절로 일어나고 있는 이유(理由)는
모름이다.

생멸(生滅) 명상(冥想)

사람의 감각과 감정은 언제나 짝으로 일어난다.
감각과 감정이 공간을 만들고, 감각과 감정이 변하면서 그 정보가 기억으로 저장되고, 저장된 기억을 바탕으로 상상이 펼쳐지면서 시공간이라는 현상이 저절로 일어난다.

기억과 상상도 감각으로 이루어져 있고, 기억과 상상의 전체 공간의 감각이 일어남과 동시에 중심의 감정이 울리게 되고, 감정은 자연스럽게 말과 행동으로 흘러간다.

사람의 두뇌는 효율적인 생존과 번식에 최적화되어 있다. 외부에서 들어온 감각 정보에 반응한 감정이 좋아하고 싫어하는 대로 움직이기 위해 발달 되어 있다. 감각 정보는 전체 공간에서 선명도의 차이로 시간이라는 다름이 생기지만, 감정은 크고 작은 울림의 차이만 있을 뿐 언제나 중심에서 울린다. 감각과 감정이 변하면서 만들어지는 정보를 분별하고 판단하여 저장하고 재처리하여 말과 행동으로 옮겨지는 과정이 두뇌와 전체 몸 사이에서 완전하고 정교하고 신비롭게 그리고 저절로 일어나고 있다.

사람의 앎은 세상 전체가 하나로 작용하여 일어나지만,
그 앎의 내용은 사람 안의 반응일 뿐이다.

잠이 들면 두뇌에서는 렘(REM : Rapid Eye Movement) 주기
수면에 안구가 빠르게 움직이면서 잠들기 전에 일어났던 감각
과 감정의 정보를 재처리한다. 하지만 끔찍한 사건이나 충격적
인 경험은 제대로 처리되지 않은 채 두뇌에 저장된다.

그 기억의 감각이 재생될 수 있는 비슷한 환경이나 사물을 경
험하게 되면 불편한 감정도 함께 울리게 된다. 마음이 싫은 힘
에 이끌려 그 감정을 투사하거나 억누르거나 외면하게 되면,
감정이 온전히 흘러가지 못하게 되고, 고인 기운이 모두 소통
될 때까지 비슷한 경험을 반복하게 된다.

현대의학에서는 렘수면의 작용을 외상후스트레스 장애나 공황
발작, 정서적 문제나 성적 학대 경험의 치료에 '안구운동 민감
소실 및 재처리 요법'*이라는 이름으로 응용하고 있다.

---

* EMDR(Eye Movement Desensitization & Reprocessing)

생(生)의 명상을 해 본다.

살아온 지난날의 기억을 하나씩 떠올려 본다.

그 기억 속 좋고 싫은 감정을 온전히 울려 본다.

감정이 하고 싶은 대로 말과 행동으로 펼쳐지도록 놔둬 본다.

기(氣)의 감정이

신(神)의 생각 속에서

정(精)의 감각적 말과 행동으로 순리대로 흘러간다.

감정과 함께 기억의 감각도 사라지고 '나'도 사라진다.

텅 빈 바탕의 몸과 몸을 보고 있는 마음만 남는다.

'나'의 감각과 감정이 모두 꿈임을 알게 되고

감각과 감정의 집합체인 '나'도 꿈임을 알게 된다.

텅 빈 몸과 몸을 보고 있는 마음 또한 앎이라는 꿈의 구성 요소임을 알게 되고, 앎을 일으키는 모름이 있다는 사실을 알게 된다.

멸(滅)의 명상을 해 본다.

살아온 지난날의 기억을 하나씩 떠올려 본다.

그 기억 속 좋고 싫은 감정을 온전히 울려 본다.

이 모두가 꿈임을 이미 알고 있기에

기억의 감각을 지우개나 빗자루로 지우고 쓸 듯이

눈동자를 좌우로 상하로 전후로 대각으로 원으로 크게 움직이

면서 지우고 쓸어버린다.

안구운동으로 기억의 감각과 감정을 조율할 때,

호흡과 박자를 같이 한다.

숨을 내쉬면서 한쪽에서 반대쪽으로 움직이고

숨을 들이쉬면서 반대 방향으로 움직인다.

내쉬면서 한 방향, 들이쉬면서 한 방향

호흡과 안구운동을 같이 실행한다.

호흡과 안구운동을 통한

기억의 감각을 떠올려 보고

감정을 울려 보는 명상이 익숙해지면,

저절로 호흡이 이루어지고

저절로 안구운동이 일어나고

저절로 감각과 감정이 드러나고

저절로 말과 행동으로 흘러가서
저절로 조율되고 있음을 알게 된다.

호흡과 함께
기억 속 인물과 사물이 떠오르고
감각과 함께 좋고 싫은 감정이 울리고
말과 행동이 펼쳐지고
눈동자가 좌우로 위아래로 앞뒤로 사선으로 원으로 움직이고
막힌 기운이 소통된다.

기억 속 감각과 감정의 정보가 호흡과 눈의 운동으로 두뇌 속
에서 상하좌우 전후로 재처리되고 정리되고 안정된다.
명상하고 있는, '나'라 믿고 있는, 지금의 육체 감각마저 호흡
과 안구운동으로 쓸어서 지운다.

정(精)의 호흡과 눈을 통한
기(氣)의 안팎 상하좌우 전후 움직임(動)으로 감정이 흐르고
신(神)의 생각 속 감각이 고요해(靜)진다.

감각이 공(空)하고 감정이 적(寂)하다.

공적(空寂)의 신령스러운 앎(靈知)이 있다.

공적영지(空寂靈知)의 '몸 마음'은 아무리 지우고 쓸어도 사라지지 않아 보인다.

하지만, 변하지 않는 본질의 '몸 마음' 또한 앎이라는 허상임을 이미 알고 있다. 알 수 없는 수많은 하위 단위와 상위 단위가 함께 일으키는, 사람이라는 단위의 꿈이다.

앎의 구조와

앎을 낳는 모름에 대한 앎이

선명하고 확고해질 때까지

생멸(生滅)의 명상(冥想)을 반복해 본다.

반복하다 보면,

명상하는 '나'는 본래 없으며

명상은 저절로 일어나고 있음을 알게 된다.

자연스럽게 호흡이 일어나고

저절로 좋고 싫은 '감각 감정 생각'과 언행이 맞물려 돌아가고

저절로 안구가 움직이고

저절로 고요해지고 저절로 요동친다.

'몸 마음' 사이에서 만물이 저절로 나고 들고 있다.
나고 듦이 아닌 소통임을 알게 되고.
실상은 생멸이 없음을 알게 된다.

명상이 꿈속임이 선명해지고
명상이든 삶 속 말과 행동이든
앎의 꿈을 펼치는 모름의 하나님이
언제나 함께하고 있음이 확연해진다.

하나님이
사람의 자리에서
앎의 생멸 놀이를 즐기고 있다.
사람의 머리로는 상상할 수 없이
거대하고 미세하고 장구하고 정교하고 완전한
음양의 놀이다.

앎 속 생멸(生滅)이 하나요.
앎 자체의 생멸이 하나요.

앎과 앎을 생멸하는 모름이 하나다.

영원한 음양의 소통뿐이다.

음양(陰陽)의 동정(動靜)

그 한 중심

사람의 자리에

앎과 모름이 함께 있다.

좋고 싫은 '나'의 생멸을

모두 허락하는 자는

부활한 예수다.

호흡(呼吸) 명상(冥想)

우리는 조화로운 음양(陰陽)으로 앎을 내고 들이는 창조주다.

창조주가 숨을 내쉰다.
우주 만물이 생성되고 사람의 삶이 펼쳐진다.

창조주가 숨을 들이쉰다.
사람의 삶을 거둬들이고 우주 만물도 사라진다.

창조와 소멸이 하나의 생명으로 숨 쉰다.
우리 안에 무한한 창조와 소멸이
창조되지도 소멸되지도 않고 그대로 있다.

우리는 창조와 소멸이 하나의 음양으로 공존하는 사람이다.

사람이 숨을 내쉰다.
사람의 중심과 전체 사이 알 수 있는, 좋고 싫은 '감각 감정
생각'과 언행으로 이루어진, 한 삶이 펼쳐진다.

사람이 숨을 들이쉰다.

사람의 중심과 전체 사이 알 수 있는, 좋고 싫은 '감각 감정 생각'과 언행으로 이루어진, 한 삶이 사라진다.

음양의 '몸 마음' 사이에서

중심과 전체가 있는, 앎이 저절로 나고 들고 있다.

사람의 '몸 마음'을 세상의 '몸 마음'이 내고 들이고 있다.

사람과 세상이 하나의 '몸 마음'이다.

삶과 죽음이 하나의 생명으로 숨 쉰다.

우리 안에 무한한 삶과 죽음이

나지도 들지도 않고 그대로 있다.

사람의 앎이 사람의 모름에서 소식(消息)하고 있다.

앎과 모름이 사람의 자리에 하나로 있다.

모름 속에 앎이 나지도 들지도 않고 그대로 있다.

우리는

창조주가 낳은 세상 속 사람인 줄 스스로 알다가

성장하여 세상과 하나임을 스스로 알게 되고

무한히 성장하여 본래 창조주임을 스스로 알게 된다.

사람의 자리에
앎의 만물이 나고 듦과
아무 일 없음이
공존한다.

실상은 말이 안 된다.
말을 실상이 지어내고 있기 때문이다.
사람의 자리에 말이 저절로 나고 들고 있다.
실상은 나지도 들지도 않고 그대로 있다.

꿈속에서
말하고 행동하고
명상하고 있다.

꿈이
꾸어지지도 깨어지지도 않고
그래도 있다.

중용(中庸)

중용(中庸)은 아우름이다.

음(陰)이 있어 양(陽)이 있고
양(陽)이 없으면 음(陰)도 없다.
음양(陰陽)은 뗄 수 없는 하나다.

미는 힘이 있어 당기는 힘이 있고
당기는 힘이 없으면 미는 힘도 없다.
밀고 당김은 뗄 수 없는 한 생명이다.

유한(有限)이 있어 무한(無限)이 있고
무한이 없으면 유한도 없다.
유한과 무한은 뗄 수 없는 한 시공(時空)이다.

땅이 있어 하늘이 있고
하늘이 없으면 땅도 없다.
땅과 하늘은 뗄 수 없는 한 세상이다.

밤이 있어 낮이 있고

낮이 없으면 밤도 없다.

밤과 낮이 뗄 수 없는 한 날이다.

여자가 있어 남자가 있고

남자가 없으면 여자도 없다.

여자와 남자가 뗄 수 없는 한 사람이다.

사람의 몸이 있어 사람의 마음이 있고

사람의 마음이 없으면 사람의 몸도 없다.

몸과 마음은 뗄 수 없는 음양의 표상(表象)이다.

사람의 앎이 있어 사람의 모름이 있고

사람의 모름이 없으면 사람의 앎도 없다.

아는 세상(世上)과 모르는 세하(世下)가 사람의 한 세계(世界)
다.

앎이자 허상인 세상은 사람 수만큼 나고 지지만

모름이자 실상인 세하는 나고 짐이 없는 하나다.

하나의 음양이 새로운 하나를 낳는다

하나의 여자와 남자가 새로운 하나를 낳는다.

둘이 낳은
중심의 셋이 있어 전체 하나가 있고
전체 하나가 없으면 중심의 셋도 없다.
하나와 둘과 셋이 하나로 있다.

이 모두가 셋인 사람의 자리에 함께 있다.
사람은 음과 양, 밀고 당김, 유한과 무한, 땅과 하늘, 밤과 낮,
여자와 남자, 앎과 모름 모두를 중심(中心)에서 아우르고 있다.

사람이라는 셋의 중심이 있기에
셋의 중심과 하나의 전체 사이에 앎의 세상이 펼쳐지고,
사람의 앎이 있기에 사람의 앎을 낳는 모름이 있음을 알게 된
다.

하나의 모름은 하나로 있다.
둘의 음양은 음과 양 '하나의 둘'로 있고
셋의 앎은 모름의 하나와 음양의 둘과 정기신(精氣神)의 셋이
'하나의 셋'으로 있다.

셋인 사람의 자리에

앎을 낳는 모름, 하나와

음양의 몸과 마음, 둘과

정기신의 중심과 전체 그 사이 밀고 당기는 힘, 셋과

하나와 둘과 셋이 함께 그리고 지우는

좋고 싫은 '감각 감정 생각'과 언행이자 만물 만상인

앎의 시공간이

'하나의 님'으로 있다.

사람의 자리에

좋음이 있어 싫음이 있고 싫음이 없으면 좋음도 없다.

좋고 싫음은 밀고 당겨 움직이는 풍기(風氣)의 표상(表象)이다.

밀고 당김은 세상을 일으키는 뗄 수 없는 바람이다.

사람의 자리에

좋음은 수기(水氣)의 표상(表象)이고

싫음의 화기(火氣)의 표상이다.

수화(水火)는 '생성과 소멸'의 뗄 수 없는 생명력이다.

사람의 자리에

슬픔이 있어 기쁨이 있고 기쁨이 없으면 슬픔도 없다.

슬픔과 기쁨은 조습(燥濕)의 표상(表象)이다.

조습(燥濕)은 뗄 수 없는 하나의 수기(水氣)다.

사람의 자리에

두려움이 있어 분노가 있고 분노가 없으면 두려움도 없다.

두려움과 분노는 한열(寒熱)의 표상(表象)이다.

한열(寒熱)은 뗄 수 없는 하나의 화기(火氣)다.

사람의 자리에

수화풍(水火風) 삼기(三氣)의 결실이 땅(地)의 육체 감각이다.

지수화풍(地水火風)은 뗄 수 없는 사람의 원소다.

사람의 자리에

지수화풍(地水火風)이 하나로 작용하여

좋고 싫은 '감각 감정 생각'과 언행(言行)을 일으킨다.

좋고 싫은 '감각 감정 생각'과 언행은 '분리된 사람이라는

착각'을 만드는 뗄 수 없는 하나의 현상이다.

지(地)는 감각으로

수화(水火)는 감정으로
풍(風)은 생각으로 드러난다.
지수화풍(地水火風)이 연기(緣起)하여 언행으로 드러난다.

물과 불의 감정이 좋아하고 싫어하는 대로 말과 행동이 땅의
감각으로 펼쳐지면 지옥(地獄)에 갇히게 되고
물과 불의 감정이 좋아하고 싫어하는 대로 말과 행동이 바람의
생각으로 펼쳐지면 천당(天堂)에서 노닐게 된다.
지옥과 천당은 뗄 수 없는 한 사람의 자리다.

사람의 자리에
중심과 전체가 뗄 수 없는 하나다.
과거와 미래가 뗄 수 없는 하나다.
삶과 죽음이 뗄 수 없는 하나다.
깸과 잠이 뗄 수 없는 하나다.
이기(利己)와 자비(慈悲)가 뗄 수 없는 하나다.
집착과 거부가 뗄 수 없는 하나다.
욕심부림과 손상이 뗄 수 없는 하나다.
아픔과 회복이 뗄 수 없는 하나다.
청춘과 황혼이 뗄 수 없는 하나다.

어림과 어리석음이 뗄 수 없는 하나다.

늙음과 지혜가 뗄 수 없는 하나다.

좌절과 성취가 뗄 수 없는 하나다.

부와 가난이 뗄 수 없는 하나다.

자랑스러움과 부끄러움이 뗄 수 없는 하나다.

긍정과 부정이 뗄 수 없는 하나다.

모두, 뗄 수 없는 음양의 법칙이다.

중용(中庸)은 둘을 아우르는 셋이라는 하나의 중심(中心)이다.

성인(成人)이 중용이다.

사람의 자리에서 볼 때,

중용이라는 찰나와 같은 앎의 열매를 맺기 위해

무극(無極)의 모름이

태극(太極)의 혼돈을 거처

황극(皇極)의 앎을 낳고

앎의 알이 깨지고 성장하여 새로운 알을 낳고

다시 깨지고 성장하고 다시 낳는 영겁의 아픔이 필요하다.

황극의 앎이 다시, 무극의 모름으로 돌아가지만

무극과 황극은 하나의 태극이다.

생성과 소멸이 뗄 수 없는 한 음양이다.

아무 일도 일어나지 않았다.

한 사람의 중용은

세상(世上)과 세하(世下)를 아우른다.

성인(成人)은 하나님의 증인이다.

사람이 세상에 태어나면 처음엔 아무런 앎이 없다.

'몸 마음'과 '몸 마음' 사이 좋고 싫은 '감각 감정 생각'과 언행
으로 이루어진, 앎이 쌓여가며 이 오온(五蘊)의 중심을 '나'라
고 믿게 된다.

성인(成人)으로 자라며 중심의 오온(五蘊)을 분별하게 되어

앎의 중심을 품은 전체 바탕의 몸을 보게 되고

몸을 보고 있는 마음도 확인하게 되면서

현상의 '나'를 부정하고 본질의 '몸 마음'에 집착하게 된다.

사람이라는 단위, 음양의 '몸 마음'이 덜 떨어진 상태이기에

어쩔 수 없는 과정이다.

좋고 싫은 '감각 감정 생각'과 언행을 아무리 부정하고 없애봐
도 부정되지 않고 없앨 수 없음을 알게 되고 현상의 '나'를 온
전히 앓아 보게 된다.

시공간 속 현상의 '나'와 시공간을 품은 본질의 '나'가
뗄 수 없는 하나의 중심과 전체임을 알게 되고
현상과 본질로 이루어진, 앎을 낳는
모름이 존재한다는 사실을 알게 된다.

앎이 허상이고 실상은 모름임을 알게 되고
앎과 모름이 뗄 수 없는 하나임을 알게 된다.

사람의 단위 음양이 충분히 떨어져 나가고
전체 본질의 '몸 마음' 둘 사이
중심의 현상은 정기신(精氣神) 셋으로 이루어져 있으며
허상의 앎을 비추는 모름의 실상은 하나임을 알게 되고
하나와 둘과 셋이 뗄 수 없는 한 통임을 알게 된다.

사람의 '몸 마음'으로
아는 '나'와 모르는 '나'를 아우르게 된다.

중용(中庸)을 실천하며
천지인(天地人)이 하나로 참여(參與)하는
성인(成人)이 되어 간다.

사람 중심(中心)의 온전한 가슴앓이를 통해
사람의 중용(中庸)이 끝도 없이 자란다.

음양(陰陽)의 '통합된 분화' 운동으로
사람의 자리에
중용이 저절로 실천된다.

중용(中庸)은 운명(運命)이다.

운명과 자유의지

사람의 자리에서 보면
아는 세상(世上)은 모르는 세하(世下)의 비춤이다.
세상과 세하가 한 세계(世界)다.

십이지신(十二支神)이 음양(陰陽)으로 짝지어 육기(六氣)로 움
직여 그 중심에 음양으로 짝지어진 오운(五運)이 만들어진다.
하늘의 육기(六氣)와 땅의 오운(五運)이 만물을 그려내고 있다.
땅 위 사람의 입장에는 하늘이 움직이는 오운(五運)으로 보이
고 땅이 고정된 육기(六氣)로 보인다.

음양(陰陽)의 오운육기(五運六氣)는
사람의 자리에서는 모름이며 이론(理論)이다.

사람 중심의 기질(氣質)과 세상 전체의 기운(氣運) 사이
음양(陰陽)의 밀고 당기는 힘으로 삶이 저절로 펼쳐진다.

사람의 '몸 마음'을 기준으로

사람의 앎을 '나'라고 믿는다면
'나'는 자유의지가 없으며 삶은 운명이 되고
사람의 모름을 '나'라고 믿는다면
'나'의 자유의지로 삶이 펼쳐지게 된다.

사람에게
자유의지는 모름이요
운명은 앎이다.

사람의 '몸 마음'으로
모르는 '나'의 자유의지로 펼쳐지는
아는 '나'의 운명을
하나로 아우른다.

삶은
사람이라는 가상의 자리에
사람이 모르는 세하가 비추는
사람이 아는 세상이다.
세상과 세하가 하나의 세계다.

사람이라는 단위의 '몸 마음'에서

모름의 '나'를 믿고, 모름의 '나'에게 전부 내맡기고

좋고 싫은 앎의 '나'를 믿고 놔둬 본다.

물질계의 말과 행동으로 표출하지도 않고

외면하거나 도망가지도 않고

펼쳐지는 생각을 따라가거나 막지도 않으면서

생각의 신계에서 맘껏 좋아하고 싫어하게 놔둬 본다.

온전히 기뻐 보고 화나 보고 슬퍼 보고 두려워 본다.

가슴에 맺힌 한(恨)이 모두 풀어질 때까지

감정의 가슴과 생각의 머리와 감각의 온몸을

온전히 내주고 놔두고 기다려 앓아 본다.

앓은 만큼 좋고 싫은 운명에서 자유로워지고

'알 수 있어' 좋고 싫은 삶 전체가 꿈임을 알게 된다.

사람의 '몸 마음'이 세상의 '몸 마음'과 같음을 알게 되고

앎의 세상이 모름에서 전해오고 있음을 확인하게 된다.

우리는 앎과 모름이 음양의 동정으로 하나로 있는 사람이다.

운명과 자유의지가 사람의 자리에 뗄 수 없는 하나로 있음을
앓아 본다.

사람의 모름에서
음양의 법칙으로
사람의 앎이 전해오기에
결국, 삶 속에 자유의지는 없다.
모르는 자유의지로 앎의 운명이 펼쳐지고 있다.

음양의 법(法)만 있을 뿐이다.
모두, 음양의 말(道)장난이다.

이야기

모든 이야기는 허구다.
앎의 중심이 있어야만 이야기가 펼쳐질 수 있는데
앎의 중심은 국소적이고 한시적인 가상이기 때문이다.

사람이라는 중심의 앎은 허상이요
앎을 일으키는 실상은
사람에게는 모름이다.

사람의 앎과 모름을
사람의 '몸 마음'으로 걸치고 있다.

셋의 중심에 의식과 대상으로 구성된, 상대의 앎이든
셋과 둘이 하나로 돌아간, 절대의 모름이든
앎과 모름을 아우르는 '몸 마음'이든
사람의 자리에서 일어나는 앎이다.

앎은 시공간 속 사람이라는 중심에서 일어나지만

시공간과 사람과 앎은 같은 말이다.

모두 허상이다.

'허상의 앎을 비추는 실상의 모름'에 대한 앎도 허상이다.

앎은 성장하는 것처럼 보인다.

혼돈의 갓난 시절을 지나고

육체를 '나'라고 믿고 좋아하고 싫어하며 살게 되고

'앎이 일어나는' 삶과 '앎이 사라진' 죽음 사이 수많은 의문으로 앎이 성장하고

앎 자체에 대한 의문으로 앎의 구조를 알게 되고

앎을 낳는 모름의 존재도 알게 된다.

사람의 자리에 앎과 모름이 뗄 수 없는 하나로 있다.

음양의 태극(太極)이 고요하면(靜) 하나의 무극(無極)이요

음양의 태극이 움직이면(動) 셋의 황극(皇極)이지만

'무극 태극 황극'은 뗄 수 없는 하나로 공존하고 있다.

사람의 자리에

무극의 죽음과

태극의 '몸 마음'과
황극의 삶이 하나로 있다.

음양 운동의 중심 또한 음양으로 이루어져 있다.

사람이라는 단위의 중심은 수많은 하위 단위 중심과 상위 단위
중심과 전체가 연기한 결과이며 허상이다.

사람은 가상의 한 중심이며 사람의 앎도 허상일 뿐이다.
사람의 앎을 통해 실상이 있음을 확인할 수 있을 뿐이며
실상은 허상의 사람에겐 모름이다.

조용히 눈을 감아 본다.
전체 바탕의 몸을 마음으로 보고 있다.
'몸 마음' 사이 중심에서 좋고 싫은 '감각 감정 생각'이 저절로
나고 지고 있다.

사람이라는 '나'의 살아온 과거 이야기를 펼쳐본다.
좋았고 싫었던 '감각 감정 생각' 일어나고 사라진다.
좋아해 보지 못한 기억 속에서 마음껏 좋아해 본다.

싫어해 보지 못한 기억 속에서 마음껏 싫어해 본다.
좋고 싫은 감정을 말과 행동으로 토해낸다.

사람이라는 '나'의 살아갈 미래 이야기를 펼쳐본다.
좋아하는 모든 이야기를 펼쳐 경험하고 느껴 본다.
싫어하는 모든 이야기를 펼쳐 경험하고 느껴 본다.

사람이라는 '나'가 살고 있는 시공간 속
'나'의 앎 전부를 펼치고 지워본다.

우주의 태초에서 종말까지 모든 이야기도
소립자에서 천체까지 모든 사물도
시작도 끝도 없는 무한 순환의 생명도
'나'의 앎 전부를 펼치고 지워본다.
앎의 세상 전체가 '나' 안에 있음을 본다.

앎의 세상 전체가 사람이라는 단위 '나'의 중심
'몸 마음' 사이에서 나고 지는 허상의 이야기임을 앓아 본다.
그리고 이 '몸 마음'도 국한된 허상임을 알아본다.
무수히 많은 하위 단위와 상위 단위 전체가 연기한 결과물임을 알아본다.

앎을 일으키는 실상은 사람의 '나'에게는 모름임을 알아본다.

조용히 눈을 떠 본다.
전체 바탕의 몸 위에서
'나'의 좋고 싫은 '감각 감정 생각'과 언행이 저절로 펼쳐지고
있음을 마음으로 보고 있다.

눈을 감든 떠든
모든 앎은 허상이다.

사람이라는 '나'의 자리에
사람이라는 '나'가 알 수 있는 허상의 이야기를
사람이라는 '나'가 모르는 실상이
비춰 울려 봐 보고 있다.

사람이라는 '나'의 자리에
아는 허상과 모르는 실상이 하나로 공존하고 있다.

사람의 앎이
사람이 모르는 창조주까지
끝없이 자란다.

모름의 하나님을 믿고,
‘몸 마음’ 둘 사이에서 펼쳐지는 앎인,
좋고 싫은 ‘감각 감정 생각’과 언행으로 이루어진
셋의 이야기 속으로
자유낙하 해 본다.

허상 속 믿음과 내맡김, 또한
하나와 둘과 셋이 연기(緣起)한다.

이 글 또한
허상의 이야기다.

성장

소리에 놀라지 않는 사자처럼
그물에 걸리지 않는 바람처럼
진흙에 더럽히지 않는 연꽃처럼
무소의 뿔처럼 혼자서 가라.
- 숫타니파타. 석가

사람의 앎은 끝없이 자란다.
새로운 앎이 일어나고 기존의 앎이 깨지고 닳아지는 과정을 깨달음이라고 한다.
그러니까, 사람은 언제나 깨달아 있고 깨달음은 멈추지 않고 성장한다.

잠자는 동안에도, 앎의 자각이 일어나지 않을 뿐, 앎은 자라고 있다. 소립자(素粒子)에서 천체(天體)까지 하나로 연기(緣起)하여 사람의 앎이 된다.
음양의 '통합된 분화' 작용으로 저절로 일어나고 있다.

사람이라는 단위에서 일어나는 음양의 '통합된 분화'는 무수히 많은 하위 단위와 상위 단위 음양의 '통합된 분화'가 하나로 연기하고 있다.

사람이라는 단위 앎의 음(陰)인, 변하지 않아 보이는, 바탕의 몸 위에
사람이라는 단위 중심에, 변해 보이는, 앎의 대상인, 좋고 싫은 '감각 감정 생각'과 언행이 나고 살고 지고 있고
사람이라는 단위 앎의 양(陽)인, 변하지 않을 것 같은, 마음으로 보고 있다.

음양의 미분화 시기인 어리고 젊은 시절은
'몸 마음'이 덜 떨어져 있기에 '몸 마음'이 선명하지 않고
정(精)의 물질 감각과 기(氣)의 감정과 신(神)의 기억과 상상의 감각이 명확하게 구별되지 않기에
마음이, 좋고 싫은, 음양의 밀고 당김에 이끌려
기의 감정을 정의 감각적 말과 행동으로 표출하여 수많은 업(業)을 지으며 땅에서 살아간다.

작업(作業)은

인류의 생존과 번식을 위한

어린 사람의 일이자 역할이며 운명이다.

땅의 사람으로서는 상과 벌이 있는 직업(職業)이다.

음양의 분화가 완성 되어 가는 어른의 시기에는

'몸 마음'이 충분히 떨어져 나가기에

'몸 마음'이 선명해지고, 정기신(精氣神)의 차이가 뚜렷해져

마음이 좋고 싫은 음양의 밀고 당김에 이끌리지 않고

기(氣)의 감정이 신(神)의 생각 속 감각적(精) 말과 행동으로 흘러가도록 허락하여 과거 업(業)의 보(報)를 소통시키며 하늘에 살게 된다.

업보(業報)의 소멸은

인류의 생존과 번식을 위한

어른이 된 사람의 일이자 역할이며 운명이다.

하늘의 신선(神仙)으로서는 놀이일 뿐이다.

사람의 앎이 땅에서 하늘까지 성장하고

'이 땅과 하늘이 모두 꿈속 일이다.'라는 앎으로까지 성장하고

꿈속 현상이 사람의 '몸 마음' 사이에서 일어남을 알게 되고

앎을 일으키는, 앎 이전의, 그 무엇이 있음을 알게 되고
사람에게는 자유의지가 본래 없음을 알게 되고
사람의 업보 또한 본래 없음을 알게 되고
앎의 삶은 모름의 놀이임을 알게 된다.

어떤 일이 일어날지, 앎이 어디까지 성장할지 모르기에
설렘과 두려움이 공존하는 삶이다.

설렘과 두려움을 아우르며 삶을 앓아 가다 보면
'아무 일도 일어나고 있지 않다'라는 사실을
저절로 깨닫게 된다.

아무 일도 없는 삶이기에
비로소 삶을 즐길 수 있게 된다.

우리는
'시공간 속 성장(成長)과 영원(永遠)이 하나로 공존하는'
'앎'을 꿈꾸는
아무 일도 없는 그 무엇이다.

앎이 깨지고 달아지는
성장은 멈추지 않으며
듣지도 보지도 못한 '앎'이
저절로 그리고 끝없이 일어난다.

사람은 누구나
자신만의 세상에 살고 있음을 알게 되고
무소의 뿔처럼 혼자서 가게 된다.

사람의 성장과
아무 일 없음이
뗄 수 없는 하나로 있지만
이 앎도 꿈속이다.

음양의 법으로
모르는 하나와
'몸 마음' 둘과
아는 정기신(精氣神) 셋이
완전하게 맞물려 돌아가는
사람의 전부를

'하나의 님'으로 즐겨 본다.

온전한 가슴앓이를 통해
유위(有爲)에서 무위(無爲)로
저절로 서서히 그리고 무한히 성장한다.

음양의 '통합된 분화' 운동으로
사람의 자리에
유위와 무위를 아우르는
즐김이 완성되어 간다.

홀로 즐기고 있다.

깨달음에 속다

사람의 자리 앎의 내용이 고정됨 없이 변하기에
사람의 중심을 '나'라고 믿을 때는
시공간 속에 갇히게 되고
'변해 보이는' 앎에 속게 된다.

사람 중심의 앎을 온전히 앓아 볼수록
중심과 뗄 수 없는 전체 바탕을 확인하게 되고
전체 바탕을 '나'라고 믿을 때는
시공간을 품게 되어
'변하지 않아 보이는' 앎에 속게 된다.

사람의 앎이란
변하지 않아 보이기에 '알 수 없는' 몸 위에
변해 보이기에 '알 수 있는' 대상을
마음으로 보는
허상이다.

사람의 깨달음 또한 앎인 허상이다.
허상을 비추는 실상은 사람에겐 모름이다.

아, 이거구나!
깨달음에 속는 순간이다.

앎의 내용은 본래 깨지고 달아지는 것이기에
앎이 곧 깨달음이다.
앎이 일어나는 동안은 언제나 깨달아 있다.

깨달음은 끊임없이 깨지고 닳아져
무진장(無盡藏)의 모름까지 무한 성장한다.

아, 깨달았다!
앎에 속아 성장이 멈추는 순간이다.

입을 여는 순간 성장이 멈춘다.
이 책 저자 또한 앎에 속고 있다.

'깨달음에 속음'

또한, 꿈속 성장 과정이다.

이 책 저자도
꿈속 앎이 어디까지 깨지고 닳아질지 모른다.
모른다는 사실만 알 수 있을 뿐이다.
글을 받아쓰며 부끄러워 본다.

설명할 수 없는 가슴앓이로
머리의 앎이 떨어져 나간다.

사람의 성장은
머리에서 가슴까지 여정이요
머리와 가슴과 온몸이 하나 되는 과정이다.

도착해 보면, 아무 일도 일어나지 않았음을 알게 되고
성장과 '아무 일 없음'이 하나로 있음을 알게 된다.
다시, '아무 일 없음' 속에서 깨달음을 반복한다.

사람의 일

아침에는 네 다리로
점심에는 두 다리로
저녁에는 세 다리로
걷는 동물은 무엇이냐?
- 스핑크스의 수수께끼

독립된 사람이 '나'라고 믿으며 사는 동안은
'나'라는 중심의 욕심을 따라가며 많은 일을 한다.
'나'가 힘써 이루어 내고, '나'의 잘못으로 이루지 못한 줄 알
기에 기뻐하고 아파하며 살아간다.

때가 되고,
'나'가 손 쓸 수 없는 상황을 맞이하게 되고
감정에 이끌려 발버둥 치다 저절로 힘이 빠지고
모든 손이 저절로 내려진다.

삶 속에서 아무것도 할 수 없는 시기는 만난다는 건
겉으로 보기에는 불행이지만, 그 속에는 축복으로 가득하다.

사람이 하는 게 아무것도 없음을 알게 된다는 건
겉으로는 인생의 허무함과 무기력을 만나는 시간이지만
속으로는 '인생이라는 꿈을 즐기는 법'을 배우는 시간이다.

불행의 시간을 겪어내지 않으면
하나님의 존재를 알게 되는 축복을 받을 수 없다.
무기력을 통해 내맡김을 알게 되고
운명을 허락하는 법을 배우게 된다.

사람의 일이 곧 하나님의 일이었음을 알게 되고
하나님을 따르는 법을 배워나간다.

사람은
유소년기는 네 다리로
장년기는 두 다리로
노년기는 세 다리로
삶의 다리를 건너간다.

음양이 덜 떨어진, 어릴 때는
'앎' 속에서 '화나고 기쁘고 슬프고 두려운' 네 감정을 따라가
손을 대는 역할을 한다.

음양이 충분히 떨어지는, 어른이 될수록
'몸과 마음'이 선명해지기에
본질의 '몸 마음' 사이에서 저절로 나고 지는
좋고 싫은 '감각 감정 생각'과 언행으로 이루어진 현상을
허락해 보는 역할을 한다.

음양이 완전히 떨어져 나가는, 지혜의 노인이 될수록
'모름'과 '몸 마음'과 '앎'이
완전한 셋이면서 하나라는 사실을 깨닫게 되고
하늘과 땅과 사람이 동등한 자리에 서서,
'모름'에서 저절로 전해지는,
'몸 마음'과 '몸 마음' 사이 좋고 싫은 '감각 감정 생각'과 언행
으로 이루어진 '앎'이 순리대로 펼쳐지는 꿈을
온전히 앓아 보며 즐긴다.

사람의 '몸 마음'으로

사람의 '앎'과
사람의 '모름'을
아우른다.

하나가
둘로 펼치며 돌아
중심에 새로운 하나를 그리고
하나와 둘과 셋으로 연기(緣起)하여
만물만상의 꿈을 펼치며 놀고 있다.
'하나의 님' 홀로 즐기고 있다.

사람이라는 단위의 앎은
본질인 '몸 마음'과
현상인 좋고 싫은 '감각 감정 생각'과 언행으로 이루어져 있다.

사람의 좋고 싫은 감정이
실제 감각의 말과 행동으로 드러날지
억눌려지거나 외면될지
생각 속 말과 행동으로 흘러갈지
사람이 모르는 하나님에게 달려있다.

하나님의 음양이 동(動)하면

중심과 전체 사이 사람의 삶이요

하나님의 음양이 정(靜)하면

중심과 전체가 사라진 사람의 죽음이다.

음양의 동정(動靜)이 공존하고 있다.

'무극(無極) 태극(太極) 황극(皇極)'이 '하나의 님'이요

사람의 삶과 죽음이 '하나의 님'이요.

하나와 둘과 셋이 '하나의 님'이다.

하나님 안에 모든 게 온전히 허락되어 있듯

사람 안의 모든 걸 온전히 놔둬 앓아 봄이 사람의 일이다.

사람의 일에 충실해 보면

사람의 일이 하나님의 일임을 알게 된다.

다 이루었다

예수라 불리는 사람이
하나님의 복음을 전한 죄로
십자가에 못 박혀 있다.

하나님의 아들로서
하나님의 심부름을 수행한 사람에게
하나님은 십자가형을 내렸다.

예수가 절규한다.
'아버지, 왜 저를 버리시나이까'

그리고, 고백한다.
'다 이루었다.'

예수가 십자가형을 받게 된 마지막 방아쇠는 사람을 향한 분노
였다. 분노의 말과 행동을 밖으로 옮겼기에 그 대가를 치르게
된다.

예수는 십자가형을 받으러 가기 전날 땀이 피가 될 정도로 극한의 두려움과 불안을 세 번 치르고 일시적 안정을 찾지만, 기도(祈禱)로는 완전한 평화를 얻지 못했다.

예수가 십자가에서 치러낸 마지막 임무는 하나님을 향한 분노의 폭발이었다. 자신 안 하나님과의 마지막 전쟁으로 완전한 평화를 이루게 된다.

분노를 밖으로 드러내면 반드시 대가를 치르게 된다.
분노를 참으면 병이 되고 외면해도 해결되지 않는다.
어린 사람의 역할이다.
미완의 시기에 반드시 치러야 할 임무다.

분노의 감정이 하고 싶은 대로 생각 속 기억과 상상을 통해 말과 행동이 펼쳐지도록 허락한다.
어른의 역할이다.
미완의 사람에서 하나님의 자식으로 완성된다.

하나님과 전쟁을 치르지 않고는 하나님 나라를 정복할 수 없다. 아는 허상의 '나'와 아는 허상의 하나님 사이 아마겟돈이 저절로 펼쳐지고, 마침내 모르는 실상의 하나님 나라가 내 안에 있음을 알게 된다.

사람이라는 '나'는 꿈이구나
모르는 '나'가 아는 '나'를 만들고
아는 '나'를 온전히 잃고 버려 모르는 '나'로 돌아가지만
아무 일도 일어나지 않았구나!

둘의 전쟁이 '하나와 셋'의 평화로구나
아는 '전쟁과 평화'와 모르는 '아무 일 없음'이 하나구나
앎 속 창조와 소멸이 하나구나
모름 속에선 창조되지도 소멸되지도 않는구나
말이 안 되는구나!

'내가 너를 버려야 우리가 산다.'

나는
하나님의 아들이 아니라
'하나의 님'이구나
다 이루어져 있구나!

욕(辱)

사람의 감각과 감정은 반드시 짝으로 일어나고, 감각과 좋고 싫은 감정이 하나로 맞물려 돌고 돌아 기억과 상상과 분별하고 판단하여 언어로 붙잡는 생각이 만들어지고, 감각과 감정과 생각이 하나로 맞물려 돌고 돌아 말과 행동으로 표출되고, '감각 감정 생각'과 언행이 하나로 맞물려 저절로 돌아간다.

이 모든 현상은 음양의 동정(動靜)인 정기신(精氣神)의 작용으로 저절로 일어난다.

감정이 실제 감각적 말과 행동으로 옮겨질지 생각 속 말과 행동으로 흘러갈지도 음양의 법으로 저절로 정해진다.

음양의 밀고 당기는 운동의 중심이 생기면 동시에 전체가 생기고, 육합(六合. 천지사방)으로 밀고 당겨 중심의 여섯 힘과 전체의 여섯 힘이 만들어진다. 이 열두 힘을 십이지신(十二支神)이라고 한다.

하늘의 십이지신(十二地神)이 돌고 돌아 땅에 그린 열 줄기를 십간(十干)이라고 한다. 천동설을 믿었던 땅에 사는 옛사람은 천간(天干) 지지(地支)로 표현했지만, 하늘에서 보면 하늘의 십이지신(十二支神)이 땅의 십간(十干)을 그려내고 있다.

음양의 운동이 정기신(精氣神)으로 펼쳐지고
사람의 자리에
정(精)은 땅의 감각으로, 신(神)은 하늘의 생각으로, 기(氣)는 하늘과 땅 사이 감정으로 드러난다.

중심과 전체 사이 음양의 밀고 당기는 네 힘이
사람의 자리에
'기쁘고 슬프고 화나고 두려운' 네 감정으로 드러난다.

사람의 감각에 반응한 사람의 감정은 반드시 감정이 원하는 대로 감각의 말과 행동으로 흘러가야 한다. 사람은 동물이기 때문이다. 말과 행동으로 흘러가지 못한 감정을 한(恨)이라고 한다.

감정의 한(恨)이 땅의 실제 감각적 말과 행동으로 펼쳐지면 다시 업(業)을 짓고 보(報)를 받아 한(恨)이 지속되는 윤회(輪回) 속에 살게 되지만, 감정의 한(恨)이 하늘의 생각 속 말과 행동으로 흘러가면 업보(業報)가 사라지고 윤회에서 벗어난다.

한(恨)을 풀어내는 방법이 욕(辱)이다.

욕(辱)이라는 글자는 십이지신(十二支神) 중에 용(龍)을 상징하는 진(辰)과 마디를 뜻하는 촌(寸)으로 이루어져 있다.

진(辰)의 용(龍)은 변화(變化)와 승천(昇天)을 의미한다.
촌(寸)은 네 마디의 감정을 의미한다.
용(龍)은 십이지신(十二支神) 중 유일한 상상 속 동물이다.

욕(辱)은
상상 속에서 감정을 소통시킨다.

욕을 통해
땅의 감정이
하늘로 승화(昇化)한다.
지옥의 모든 중생이 천당으로 구제되고

땅에 잠든 모든 영혼이 휴거(携擧)되어 하늘에서 영생한다.

씨발(氏發)!
감정의 씨야
피어
위아래 하늘로 펼쳐라!

기쁨이여 氏發!
슬픔이여 氏發!
분노여 氏發!
두려움이여 氏發!

욕하고
욕 듣고
욕보이고
치욕(恥辱)스러워 본다.

땅의 슬픔과 두려움은 아래의 하늘로 피어서 지고
땅의 기쁨과 분노는 위의 하늘로 피어서 오른다.
땅에서 하늘로 피어서 지고 오르는 사람을 즐겨 본다.

용(龍)을 타고

맘에 들지 않는 세상 전체를 소멸시켜 보고

맘에 드는 세상을 새롭게 펼쳐본다.

감정이 원하는 대로

땅의 감각과 하늘의 생각을 오르내리며

여의주(如意珠)를 가지고 논다.

신(神)의 하늘과 정(精)의 땅에서

정신(精神) 차리고

선(善)은 땅으로 드러나게, 악(惡)은 하늘로 은밀하게

기운(氣運)이 순리대로 흘러가는

신선(神仙)놀음을 즐긴다.

하나가

둘, 음(陰)의 몸과 양(陽)의 마음 사이에서 펼쳐지는

셋, 정(精)의 감각과 신(神)의 생각 사이에서

정신(精神)을 차리고 기(氣)의 감정을 즐겨 보고 있다.

땅의 사람과 하늘의 신이

하나의 신선(神仙)으로 공존한다.

사람이 모르는, 음양이 펼치는
사람이 아는, 신선놀음으로
사람의, 삶과 죽음을 아울러
저절로 해탈(解脫)하는구나!

氏發!
祖(조) 되는 거구나!

앎이 어떻게 펼쳐질지 모르는구나!
할 수 있는 게 아무것도 없구나!
氏發!

분리된 '나'는 본래 없구나!
'하나의 님' 뿐이구나!
氏發!

혼자서
둘로 나뉘어 돌아
셋의 자리에 만물을 펼쳐
화나고 두렵고 기쁘고 슬픈

전쟁과 평화를 만끽하며 놀고 있구나!

氏發!

모르는 하나의 도(道)가

하나의 음양으로

새로운 하나인 셋의 중심 땅에 앎의 씨를 심고

氏가 發하여

삶의 길(道)을 앓아 가며

온전한 앎으로 성숙하여

본래 하늘로 돌아가

땅과 하늘을 하나로 아울러

祖 되어

모르는 말(道) 씨를 뿌리고 있구나!

道가

꿈속에서

시부리고 있구나!

자기혐오(自己嫌惡)와 자기애(自己愛)

'이런 나 자신이 너무 싫어요'라고 말하는 사람에게
'맘껏 싫어해 보세요'라고 대답한다.

싫은 '나'의 모습이 있고
그 싫은 '나'를 싫어하는 중심의 '나'가 있고
모든 앎의 중심을 알아차려 보는 전체 '나'가 있다.

사람이라는 단위는
사람이라는 앎의 한 중심이다.
중심은 전체와 뗄 수 없는 하나다.

앎의 내용(內容)인
좋고 싫은 '감각 감정 생각'과 언행은
끊임없이 변하지만,
앎이 일어나는 '중심과 전체'의 맥락(脈絡)은 변하지 않는다.

중심과 전체 사이 음양의 밀고 당김은 쉼이 없다.

사람 중심에서는 '알 수 있는' '좋아하고 싫어하는 반응'으로 드러나지만, 사람 전체에서는 '알 수 없는' 밀고 당기는 힘이다.

사람의 중심과 전체 사이
음양의 밀고 당기는 상생상극(相生相剋)으로
좋고 싫은 '감각 감정 생각'과 언행으로 이루어진
앎의 시공간이 저절로 펼쳐진다.

'이곳과 저곳과 그곳'으로 공(空)의 간(間)이 생기고
'현재와 과거와 미래'로 시(時)의 간(間)이 생긴다.

우주(宇宙)라는 시공간(時空間)은
사람이라는 자리에서 펼쳐지는 중심과 전체 사이 현상이다.

알 수 있는 '나'와 '너' 사이에 공간의 거리가 있듯
알 수 있는 '나'와 '나' 사이에 시간의 거리가 있다.

'나'의 한 생각이 일어나면 바로 과거의 생각이 되고,
또 다른 '나'의 생각이 이어지고 그 생각은 다시 과거가 되고,

상상으로 미래의 '나'가 그려지며,

돌고 돌아가는 시간 속 '나'가 저절로 만들어지듯

감각과 감정 또한 마찬가지다.

정확히 말하자면,

공간의 전체 감각과 중심 감정이 변하면서

시간의 생각이 만들어지고 있지만,

'감각 감정 생각'은 뗄 수 없는 하나다.

'지금, 여기'라는 자리는 변하지 않지만,

'지금, 여기' 중심과 전체 사이에서 변하는 '감각 감정 생각'과

언행으로 시공간이 그려진다. 시공간은 뗄 수 없는 하나다.

'지금, 여기'에서 시간의 거리가 있는

'나'의 '감각 감정 생각'과 언행을 향한

중심의 '좋아하고 싫어하는 힘'과

전체의 밀고 당김은 끊임없이 일어난다.

영원한 음양의 생명이 일으키는 시공간이다.

'지금, 여기'에서

과거와 미래의 감각적 '나'를 향한 '좋아하고 싫어하는 힘'을
온전히 허락해 본다.
중심의 감정이 하고 싶은 대로 전체 생각으로 말과 행동이 펼
쳐지도록 놓아둬 본다.

'지금, 여기'에서
그곳과 저곳의 감각적 '너'를 향한 '좋아하고 싫어하는 힘'을
온전히 허락해 본다.
중심의 감정이 하고 싶은 대로 전체 생각으로 말과 행동이 펼
쳐지도록 놓아둬 본다.

'지금, 여기'에서
시공간 속 모든 감각적 '나'와 '너'를 향한 '좋아하고 싫어하는
힘'을 온전히 허락해 본다.
중심의 감정이 하고 싶은 대로 전체 생각으로 말과 행동이 펼
쳐지도록 놓아둬 본다.

땅. 정(精)의 감각을 향한
사람. 기(氣)의 감정이 좋아하고 싫어하는 대로
하늘. 신(神)의 생각으로 펼쳐질수록

몸과 마음이 떨어져 나간다.

'몸 마음' 사이에서
중심과 전체의 밀고 당기는 힘으로
좋고 싫은 '감각 감정 생각'과 언행이 저절로 펼쳐지고 있다.
좋고 싫은 '감각 감정 생각'과 언행이 일어날 뿐
좋고 싫은 '나'와 '너'는 실재하지 않는다.

'나'와 '너'는
'좋고 싫은, 감각 감정 생각 언행'으로 이루어진
정보들의 국한된 뭉침일 뿐이다.

'나'는
음양의 미분화 시기에
앎의 중심을 향한 마음의 일시적 동일시일 뿐이다.
'나'가 생김과 동시에 '너'가 있게 된다.

그러니까, 시공간과 시공간 속 '나'와 '너'는
사람이라는 단위에서
'알 수 있는' 정보의 한계가 짓는 착각이다.

사람이라는 단위의 음양이 분화되어
중심과 전체 사이, 밀고 당기는 힘이 균형을 이루면
몸 위에서 변하는 모든 내용을
마음으로 온전히 앓아 보게 된다.

마음의 몸을 향한 동일시가 중심에서 전체로 확장되고
마음으로 중심과 전체 두 눈을 통해 몸을 볼 수 있게 되고
'몸 마음'을 포함한, '몸 마음' 사이 시공간 속 모든 앎이
모르는 하나의 연기(緣起)이자 꿈일 뿐임을 알게 된다.

자기혐오(自己嫌惡)와 자기애(自己愛)를 허락해 볼수록
무아(無我)와 연기(緣起)를 깨닫게 된다.

이 앎 또한,
모름으로부터 전해오는 소식(消息)이다.

우리는 둘의 음양으로 셋이 앎을 즐기는 하나의 모름이다.
앎은 나고 피고 지는 한 중심의 시공간 속 일이지만
모름은 앎의 생멸(生滅)이 공존하는 무진장(無盡藏)이다.

모든 앎이
모르는 부처님 손바닥 안이다.

허상의 '나'를 향한
앎 중심, 이기의 자기혐오와 자기애를
온전히 앓아
앎 전체, 자비를 확인하고
이기와 자비 또한 허상임을 알게 되고
모르는 실상이 앎을 비추고 있음을 알게 된다.

사람의 '몸 마음'으로
아는 허상의 '나'와
모르는 실상의 '나'를
하나로 아우른다.

정신(精神) 차리다

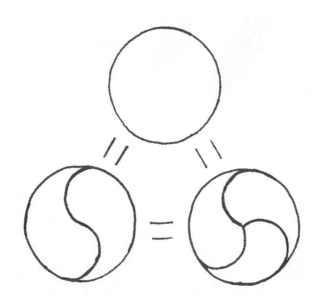

사람이라는 자리에서 볼 때,

정신(精神)을 차린다는 말에는 세 가지 의미가 있다.

하나의 세상을 하나의 '무극(無極) 태극(太極) 황극(皇極)'이 비

추고 있기 때문이다.

사람은 시공간 속에서 한 자리를 점하고 있기에
보는 중심이 있고 그 중심과 상대적인 전체가 생긴다.
정(精)은 그 중심을 말하고 신(神)은 그 전체를 말한다.
중심에서 보는 눈, 전체에서 보는 눈
두 눈으로 세상을 보게 된다.

중심에서 보면 사람은 시공간 속에 있고
전체에서 보면 시공간이 사람 속에 있다.

사람이라는 단위의 '몸 마음' 사이에서
'중심과 전체'의 밀고 당기는 힘으로 앎이 윤회할 때,
중심에서는 '알 수 있는' 좋고 싫은 반응이 일어나고
전체에서는 '알 수 없는' 밀고 당기는 힘이 일어나면서
좋고 싫은 '감각 감정 생각'과 언행이 쉼 없이 돌고 돌아간다.

사람이라는 단위의 마음으로
중심과 전체 두 눈을 통해
사람이라는 단위의 몸에서 일어나는
좋고 싫은 '감각 감정 생각'과 언행을 모두 허락해 봄이
정신(精神)을 차린다는 말이다.

감각이 전체 공간을 그리고
감정이 그 중심에서 울리고
감각과 감정이 돌고 돌아 생각의 시간이 그려진다.

감정은 언제나 시공간의 중심에서 울리며 변하고
감각은 전체 시공간을 그리며 돌고 돌아간다.
현재 감각과 생각 속 '과거와 미래' 감각의 차이로 좋고 싫은
감정의 바람이 저절로 일어나며 꼬리에 꼬리를 물고 돌아간다.

중심의 좋고 싫은 감정이 현실의 감각적 말과 행동으로 펼쳐지
거나 생각 속 말과 행동으로 펼쳐져야만 순리대로 기운이 흘러
간다.

마음이 감정의 좋고 싫은 힘에 이끌려 현실의 말과 행동으로
펼치면 현실에서도 그 대가를 치르게 된다.
마음이 감정이 좋아하고 싫어하는 대로 생각 속 말과 행동으로
펼쳐지도록 허락하면 현실에는 아무 일이 없다.

마음이 현실(精)과 생각(神)의 감각 사이에서 좋고 싫은 감정
(氣)을 지혜롭게 소통시키는 행위가 정신을 차린다는 말이다.

사람이라는 단위의 '몸 마음' 사이에서
저절로 펼쳐지는 세상을
정신을 차리고
시공간의 중심과 시공간을 품은 전체를 함께 허락하고,
좋고 싫은 감정을 현실과 생각을 잘 분별하면서 말과 행동으로
펼쳐 즐겨 본다.

이 모두 사람이 모르는 음양의 동정(動靜)인 '통합된 분화'로
저절로 일어난다. 사람의 앎을 사람의 모름이 비추고 있다.

음양이 밀고 당기는 힘의 열두 가지를 신(神)이라 하고, 신이
국한적으로 얽히고 뭉친 중심을 정(精)이라 하고, 밀고 당기는
힘 자체를 기(氣)라고 한다. 정기신(精氣神)이라는 말은 달라도
정기신은 하나의 음양 운동이다.

음양의 '통합된 분화'가 익지 않는 성장의 전반기에는
몸과 마음이 덜 떨어져 있기에
정신을 차리지 못하고 이기적인 감정을 따라가면서
사람인 '나'가 삶을 산다고 착각하며 살게 된다.

음양의 '통합된 분화'가 무르익는 성장의 후반기에는
몸과 마음이 충분히 떨어져,
정신을 차리고
시공간 속 중심의 이기적 감정을
전체 자비로 온전히 허락하며
조화로운 삶을 즐긴다.

인생의 전반기와 후반기 사이 혼란스러운 과도기를 잘 치러내
면 좋으련만, 이 또한 모르는 음양의 동정(動靜)에 달려있다.

아는 삶과 죽음은
모르는 실상이 비추는 허상이라는
선지자의 말을 한번 믿어 보고
삶과 죽음이 하나로 공존하는, 사람이라는 꿈자리에 서서
사람의 모름에 모두 내맡기고
사람의 앎이 부화하여 성장하는
삶 전부를 허락하고 앓아 보게 된다.

나는
아는 것도 없고 할 수 있는 것도 없는 앎과

모르는 것도 없고 못 하는 것도 없는 모름이

하나로 공존하는

정신 차린 사람이다.

하나,

아는 허상과 모르는 실상

둘,

앎의 시공간 속 중심의 '나'

앎의 시공간을 품은 전체의 '나'

셋,

앎 속 중심의 '나'에서 저절로 일어나는

좋고 싫은 '감각 감정 생각'과 언행

이 모두를

사람의 '몸 마음'으로

정신 차리고 아우른다.

정신이

음양의 동정(動靜)으로 저절로 차려진다.

실상, 세하가
음양의 동정으로
'무극(無極) 태극(太極) 황극(皇極)'이
한 통으로 맞물려 돌아가며
사람의 자리에
허상, 세상을 비추고 있다.
뗄 수 없는 한 세계다.

정신 차린다는 건
음양의 이치(理致)를 앎음이다.

닭이 먼저냐? 알이 먼저냐?
질문에 답할 수 있다면
정신 차린 사람이다.

정신 차리고, 잘 들어

잠의 꿈속이든 깨어 있든,
언어를 습득한 사람에게는 끊임없이 말이 들려온다.

생각 속에서 들려오는 말에도 두 입장이 있다.
사람이라는 앎의 중심(精)과 세상이라는 앎의 전체(神) 두 입장
이 공존하기에 혼잣말을 할 수 있다.

앎이 일어나는 중심을 사람이라고 말하고
앎이 일어나는 전체를 세상이라 말하지만
사람과 세상은 같은 말이다.

두 입장 중에서 한쪽에서 말하면 그 말에 다시 두 입장이 동시
에 대응하면서 대화가 이어진다.
정(精)과 신(神)의 두 입장이지만 두 입장의 말을 동시에 듣기
는 힘들다.

사람의 몸에서 들려오는 말을 사람의 마음으로 들어본다.

한 번은 정의 말이 들리고 한 번은 신의 말이 들리기도 하고, 계속해서 정의 말만 들리거나 계속해서 신의 말만 들리기도 한다.

정의 말에는 사람 중심 이기심이 실려있고
신의 말에는 세상 전체 자비심이 실려있지만
정과 신은 뗄 수 없는 하나로 조화롭게 소통하고 있다.

사람의 마음이 정과 신의 말을 따라가 물질의 감각적 말과 행동으로 표출하면서 문명과 문화가 발전하고 개인의 삶이 성장한다. 힘이 넘치는 어리고 젊은 시절의 역할이다.

사람의 마음이 정과 신의 말을 허락하여 생각 속 말과 행동으로 흘려보내면서 조화로운 개인과 사회의 삶으로 조율된다. 힘이 빠진 어른의 역할이다.

온 세상이 하나로 연기하여 저절로 사람이 나타니고 저절로 말이 탄생하고 저절로 말을 익히게 되고 저절로 혼잣말이 들려오고 저절로 말을 따라가고 저절로 정신이 차려지고 저절로 말을 들어보게 된다.

사람이라는 자리에서 볼 때

앎이란,

사람이 모르는

음양(陰陽)의 동정(動靜)이자

음양의 '통합된 분화' 운동으로 일어나는,

수없이 많고 다양한 중심 기질(氣質)과 전체 하나가 그려내는

신묘막측(神妙莫測)한 춤사위다.

무위(無爲)를 배워감이 저절로 이루어진다.

무위는 자연(自然)이다.

앎의 세상 전부 무위자연(無爲自然)이다.

'우리는,

음양(陰陽)의 동정(動靜)으로

만물과 만물의 앎을 내고 들이는,

사람이 불 수 없고 들을 수 없는

앎 이전의 모름이다.'

라는 말이 들려온다.

기적(奇蹟)

숨을 쉬고 있는 지금이 기적이다.

세상에서 보고 듣고 냄새와 맛과 감촉을 경험하는 모든 게 설명할 수 없는 기적이다.
몸 내부에서 느껴지는 미묘한 감각과 감정과 저절로 떠오르는 생각과 말하고 움직이는 모든 게 신기(神技)하지 않음이 없다.

상상으로만 볼 수 있는,
쉼 없는 심장의 박동과 신비로운 뇌신경의 작용, 소화기와 생식기의 완벽함, 수많은 세포와 세균의 협업은 경이롭다.
몸 안팎의 환경과 우주 전체가 하나로 이어져 돌아가고 있다는 사실을 생각해 보면, 사람이라는 분리된 '나'는 본래 없음을 쉽게 알 수 있다.

기적의 세상이 꿈이라는 사실은 말로 표현할 수 없는 신비다.
우주라는 꿈속 아주 작은 행성에 다양한 인류의 말과 글이 저절로 나오고 쓰이고 읽히는 지금의 이유는 모른다.

'아는 세상(世上)의 이유(理由)는 신비(神祕)다'라는 앎 또한
모르는 세하(世下)에서 저절로 전해오는 소식이다.

세상과 세하가
지금, 사람이라는 자리에
'하나의 님'으로 있는 세계(世界)는
정말 말이 안 된다.

사람이라는 '나'의 한(恨)을 풀어줄수록
말이 되지 않는 지금이
말이 되어 간다.

생각 속에서,
좋고 싫은 감정이 원하는 대로
감각적 상황과 언행을 능동적으로도 맘껏 지어 풀어내고
원하지 않은 감각적 상황 속에서
울리는 감정을 수동적 언행으로 온전히 울려 보며
능동과 수동이 돌고 돌아가면서 저절로 한이 풀어진다.

사람의 신계(神界)에서,

한 맺힌 사물(事物)을 창조해 보고
한 맺힌 인연들과 싸우고 화해하고 용서하고
맘껏 좋아하고 싫어하며 한을 풀고
앎의 세상 전부를 쓸어 버리고
'나'도 같이 소멸시킨다.

앎의 꿈속, 중심의 '나'와 전체 세상이 사라지고
꿈의 바탕과 바탕을 보는 의식만 남는다.
하지만, '바탕의 몸과 몸을 보는 마음'의 앎도
한 중심에서 일어나고 있음을 알 수 있다.

하나의 '몸 마음' 또한
사람이라는 자리의 꿈임이 확연해진다.

한 중심의 '몸 마음' 사이에서
세상 속 '나'와 만물만상이라는 앎이 저절로 드러나고 있다.
앎이라는 허상도 하나와 둘과 셋이 함께 있음을 본다.

하나의 '몸 마음'이 움직이면 셋의 앎이자 삶이요
둘의 '몸 마음'이 고요해지면 하나의 모름이자 죽음이요 음양(陰陽)의 동정(動靜)으로 앎과 모름이 공존하고 있다.

음양의 동(動)과 정(精)은 시공간 속 순서와 위치가 아니요
시공간을 펴고 쥐는 하나다.

꿈속 세상에서 음양의 두 눈을 뜬다.
시공간과 세상 속 사람이라는 꿈을
정신 차리고 즐긴다.

좋고 싫은 감정에 이끌려 꿈속에 갇히고 헤매다가
정신이 차려져 한을 풀고
꿈에서 나와 즐기다가 다시 감정에 이끌리고
'갇혀 헤매다 나가 즐기기'를 반복하며 성장하는
기적이 저절로 일어나고 있다.

어떤 기적이 펼쳐질지 아무도 모른다.

인류(人類)의 한(恨)

수고하고 무거운 짐 진 자들아. 다 내게로 오라. 내가 너희를 쉬게 하리라. 나는 마음이 온유하고 겸손하니 나의 멍에를 메고 내게 배우라. 그리하면 너희 마음이 쉼을 얻으리니. (마태복음 11:28~29)

지구라는 행성에는 수없이 많은 생명 단위가 살았었고 살고 있고 또 살아갈 것이다. 우리는 인류(人類)라는 생명 단위의 삶만을 경험할 수 있을 뿐이고, 다른 생명 단위의 삶을 관찰할 수는 있으나 앓아 볼 수는 없다.

지금까지 살았었던 모든 인류의 한(恨)을 풀어준다.
상상을 통해 인류의 삶 전체를 넉넉히 품을 수 있도록 시공간을 확장하여, 그 속에서 한 맺힌 영혼*들이 하고 싶은 대로 맘껏 말하고 움직이도록 판을 펼친다.

---

* 사람이라는 단위의 '몸 마음'을 영혼(靈魂)으로 표기했다.

슬프고 억울한 사연의 영혼

전쟁과 기아와 천재지변으로 안타깝게 죽어간 영혼

가난과 열등에 쪼들리고 움츠렸던 영혼

죄와 죄책감으로 힘들었던 영혼

원수를 갚지 못한 영혼

말 못 할 사연으로 자살한 영혼

간절히 원하는 걸 이루지 못한 영혼

은혜를 갚지 못한 영혼

사랑에 속고 사랑을 속인 영혼

세상을 보지 못하고 소멸한 어린 영혼

치욕의 기억 속에서 벗어나지 못한 영혼

장애로 한탄과 원망에 갇힌 영혼

불안과 공포 속에 사로잡힌 영혼

술과 약물과 한탕으로 삶으로부터 도망친 영혼

삶의 비밀을 풀지 못하고 마감함 영혼

깨달음에 스스로 속아 다른 이들도 속인 영혼

독립된 사람이라는 꿈속에서 윤회하는 영혼

온전히 슬퍼하고 두려워하지 못하고

맘껏 기뻐하고 화내지 못한

인류의 한(恨)을 풀어주는

굿판이 펼쳐진다.

온 세상이 난리굿이다.

누구의 잘잘못도 없으며

누구라는 분리도 없이

세상이 연기(緣起)한 꿈임을 앓아 보게 한다.

인류의 한(恨)이 모두 풀어질 때까지 굿판이 이어지고

세상 속 지구와 인류의 굿판이 함께 소멸한다.

아무 일도 일어나지 않았다.

꿈과 '아무 일 없음'이 함께 있는

지금은 말이 안 된다.

앎 속

시공간 사물(事物)이

우주와 지구의 생명이

인류의 역사가

사람이라는 '나' 안에 모두 들어있음을 앓아 본다.

인류의 한(恨)이 '나'의 한(恨)임을 앓아 본다.
사람이라는 '나'가 본래 없음을 앓아 본다.
'나' 속 인류의 한이 꿈임을 앓아 본다.

인류의 한이 하나님의 한임을 앓아 본다.
하나님 스스로 사람을 짓고
스스로 한을 품고 스스로 한을 푼다.

내 안의 수고하고 짐 진 자들아
한을 풀고 편히 쉬어라.

너와 나는 본래 영생하는
'하나의 님'이다.

수고하고 짐 진 자는 본래 없음을 앓아 본다.
'하나의 님'뿐임을 앓아 본다.

구제할 중생이 본래 없음을 앓아 본다.
부처뿐임을 앓아 본다.

하나가

'몸 마음' 둘 사이

셋의 중심에서 펼치는

만물만상(萬物萬象)의 꿈을 앓아 본다.

하나의

전체 신(神)이

음양(陰陽) 기(氣)의 운행(運行)으로

중심에 정(精)을 맺어

세 판을 펼치며 놀다가

정분(精分)에 맺힌

기분(氣分)의 한(恨)을

신분(神分)으로 풀어내고

다시, 하나로 돌아간다.

정(精)의, 사람이

마음으로 몸을 온전히 울려 봐 보는

아무것도 하지 않는 신선(神仙)놀음으로

기(氣)의, 한(恨)이 흥(興)하고

신(神)으로 난다.

본래(本來)로 가는 길

말과 글이
머리에서 가슴을 통해 온몸으로 가는 길(道)은
기쁨과 아픔이 교차하는 긴 시간이다.
시공간이, 몸 마음이
뗄 수 없는 하나다.

사람의 앎은
사람 중심에서 일어나고
중심은 세상 전체와 뗄 수 없는 하나임을 보게 된다.

'몸 마음'이라는 본질(本質) 속
사람이라는 중심과 전체 세상 사이에서
현상(現象)이 나들고 있다.

앎이 일어나는 동안
'나'라는 중심과 전체는 사라질 수 없다.
가상의 '나'를 통해서만 앎이 일어나기 때문이다.

'몸 마음'으로 '나'를 온전히 앓아 볼 수밖에 없다.

'나'를 앓아 볼수록
하나의 세상임을 보게 되고,
하나의 '본질과 현상'이라는 앎이
실상(實相)이 비추는 허상(虛像)임을 보게 되고,
'사람에게 실상은 모름이다'라는 앎이 저절로 전해온다.

본래(本來),
허상 세상(世上)과
실상 세하(世下)가
한 세계(世界)임을 알게 된다.

본래는 말과 글 이전이지만
말과 글이 본래에서 저절로 전해오기에
말과 글이 본래임을 알게 된다.

본래 진리(道) 안에서
시공간의 말(道)장난이 펼쳐지고 있다.

우리는

우리는
'나'와 '너'가
하나로 있는
그 무엇이다.

우리는,
알 수 있든 알 수 없든,
앎을 무진장(無盡藏) 품고 있는
그 무엇이다.

우리는
우리의 형상과 똑같이 그린
사람을 통해
스스로 만족하는
그 무엇이다.

우리는

세상을

헤아릴 수 없을 만큼 반복해서 내고 들이는

그 무엇이다.

우리는

말을 지어내는

말로 표현할 수 없는

그 무엇이다.

우리는

세상의 사람을

살리고 죽이는

그 무엇이다.

우리는

아는 '삶 죽음'과 모르는 영생이

하나로 있는

그 무엇이다.

우리는

장구하고 장엄한 운명을 짓고 부수는

아무 일도 없는

그 무엇이다.

우리는

말이 안 되는 말을

말이 되게 만드는

그 무엇이다.

우리는

사람이자

사람이 아는 전부와

사람이 모르는 그 무엇이

음양으로 공존하는

셋이자 '하나의 님'이다.

우리는

말(道)장난하는

유일하고 영원하고 완전한

한울님이다.

나가는 글

道可道非常道

진리는 말할 수 없다

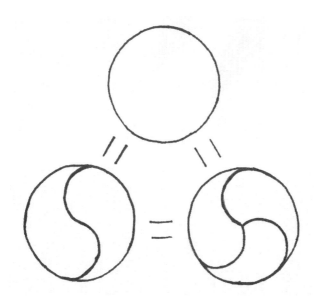

죽음 　⇔　 **사람** 　⇔　 삶

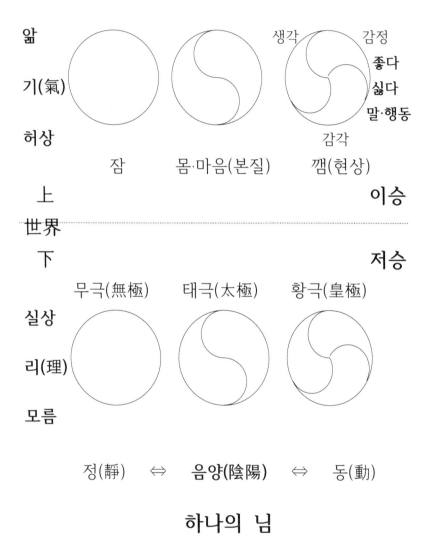

앎

기(氣)

허상

생각　　　　감정

좋다
싫다
말·행동

감각

잠　　　　 몸·마음(본질)　　　　 깸(현상)

上　　　　　　　　　　　　　　　　　　　 **이승**

世界
- -

下　　　　　　　　　　　　　　　　　　　 **저승**

무극(無極)　　　 태극(太極)　　　 황극(皇極)

실상

리(理)

모름

정(靜) 　⇔　 **음양(陰陽)** 　⇔　 동(動)

하나의 님

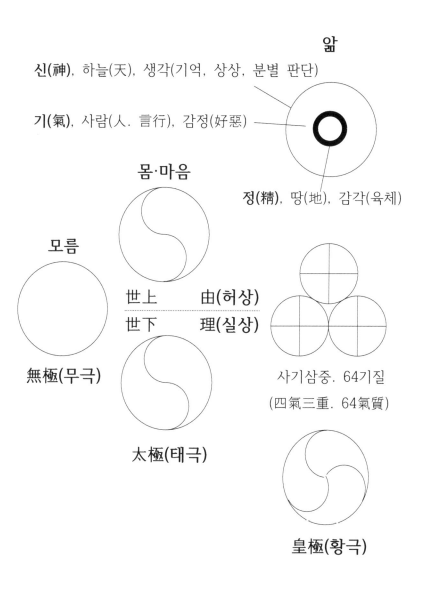

앎

신(神), 하늘(天), 생각(기억, 상상, 분별 판단)

기(氣), 사람(人. 言行), 감정(好惡)

정(精), 땅(地), 감각(육체)

몸·마음

모름

世上　　由(허상)

世下　　理(실상)

無極(무극)

사기삼중. 64기질

(四氣三重. 64氣質)

太極(태극)

皇極(황극)

靜(고요함, 하나)⇔陰陽(음양, 둘)⇔動(움직임, 셋)

道生一　一生二　二生三　三生萬物

萬物負陰而抱陽　中氣以爲和

- 도덕경 42장. 마황퇴 갑본. 노자

도(道)가 하나를 낳고

하나가 둘을 낳고

둘(하나와 둘)이 셋을 낳고

셋(하나와 둘과 셋)이 만물을 낳는다.

만물은

음(陰)과 양(陽)이

서로를 지고 안아

한 중심으로 돌아가는

조화로운 기운이다.

이 책
글과 그림, 저자와 독자
모두, 아무도 모르는 곳에서 비추는
허상이다.

꿈속에서 저절로 글이 쓰이고 읽히고 있다.

음양(陰陽)의 도(道)가
아무 일 없이
사람과 글과 그림을
그리고 지운다.

우리는
사람이라는 가상의 자리에
앎과 모름이
'하나의 님'으로 있는
陰陽의 道다.

말(道)장난이다.

그래서, 뭐?
氏發, 몰라!
삼판양승.

말장난III

발 행 | 2024년 05월 21일
저 자 | 김기쁨
펴낸이 | 한건희
펴낸곳 | 주식회사 부크크
출판사등록 | 2014.07.15.(제2014-16호)
주 소 | 서울특별시 금천구 가산디지털1로 119 SK트윈타워 A동 305호
전 화 | 1670-8316
이메일 | info@bookk.co.kr

ISBN | 979-11-410-8606-0

www.bookk.co.kr